カラー版

パブリックアート入門

タダで観られるけど、タダならぬアートの世界

浦島茂世

イースト新書Q
Q089

はじめに

「パブリックアート」という言葉を聞いたとき、みなさんはどのようなものをイメージするだろうか？　駅前にあるブロンズ彫刻を思い浮かべる人もいるだろうし、このごろの現代美術アーティストによる立体オブジェや壁画を連想する人もいるだろう。そもそもアートという単語が入ると途端に難しく感じてしまうという人もいるはず。人によってイメージが異なり、そしてあんまりよくわからない言葉、それがパブリックアートだ。そして、このパブリックアートの定義は現在までとてもあいまいだ。

パブリックアートとは、直訳すれば「公共（空間）の芸術」。駅前の広場や公園、通りなど、個人に属することがない公共空間にある芸術作品のことを指す。そのため、パブリックアートを公的機関や組織が経費を負担した芸術作品のみと定義する人もいる。本書で扱うパブリックアートは、もう少し範囲を広げて公共空間にある芸術作品に加えて、筆者が芸術作品として扱いたいと感じている壁画や立体作品などを含めている。そのため、駅前にある彫刻から、ビルに描かれた壁画までかなり幅広い内容となっている。

筆者は美術ライターとして、日常的に美術館やギャラリーを訪れ、執筆活動を行っている。その傍らで、路上観察や地形巡りも趣味にしている。そのような日々を過ごしていると、美術を愛する人々にとっても、路上観察を愛する人々にも、パブリックアートと呼ばれる作品、特に年代を経た作品が、あまり興味を持ってもらえていない状況に何度も遭遇し、そのたびにとても切なく、忸怩《じくじ》たる思いを抱いていた。駅から美術館までにたくさんパブリックアートがあるのに素通りされ、マンホールや看板の横にパブリックアートがあるのに無視されてしまう。とてももったいないことだ。

じつは、どれも同じようにみえるパブリックアートには、時代ごとの「流行りすたり」がある。戦後、駅前に女性（裸婦なことも多い）や子どものブロンズ像が設置され、１９７０年代には街のメインストリートにたくさんの彫刻像が設置された。２０００年代以降は東京を中心にオフィスビルの敷地内に現代美術作品が設置されるようになり、いまも続々と増殖中だ。このようなちょっとしたトリビアを知っただけでも、「では、自宅の最寄り駅前にある、あの像は、いつごろ作られたものなのだろう？」と興味が湧いてこないだろうか？　さらには「そもそも、この作品は、なぜこの場所に置かれるようになったのだろうか？」と、パブリックアートそのものや歴史を知りたくなってもこないだろうか？

本書は、街を歩くのが好きな人、そして美術が好きな人へ向けて、パブリックアートに興味を持ってもらうために執筆した。本書を読んだあとは、街中に無数のパブリックアートがあることを改めて実感できるはず。そして、街を歩くことが楽しくなってくるはずだ。より詳しい彫刻や公共空間の歴史は専門書もあるが、まずは、この本で、「タダで観られるけど、タダならぬアート＝パブリックアート」の世界に足を踏み入れてほしい。

● パブリックアート入門　目次

第4章 みておくべき日本のパブリックアート30

67

第1章

六本木の巨大なクモのナゾ

1：ルイーズ・ブルジョワ《ママン》2003/1999（提供：森ビル株式会社）

きらめく文化都心に鎮座する

２０２３年に開業20周年を迎える六本木ヒルズは、文化都心として森ビルが17年の歳月をかけて、地域住民などと再開発した複合施設だ。美術館や映画館、庭園、レストランやショップがそろい、オフィスや住宅、ホテルのあるコンパクトシティで、常に最先端の文化に気軽に触れることができる。

停滞ムードの日本のなかでも、いつもキラキラとしている六本木ヒルズだが、地下鉄日比谷線六本木駅経由で初めて訪れた人はちょっとギョッとするかもしれない。地下道から直通エスカレーターで六本木ヒルズに上がると、最初に目に入るものが左手前方にある高さ10ｍにも及ぶ巨大なクモだからだ（写真1）。その姿は今にも動き出しそうで、思わずすくんでしまうが、よく見れば彫刻作品であることがわかる。このクモを初めて見た人の多くは驚き、そして奇妙な印象を持つ。新しい街なのに、ユートピアみたいな街なのに、なぜこんな不気味な作品をあえて置いているのだろうか？　と。

クモの意外な事実

そんな疑問を解消すべく、作品について紐解いてみよう。芸術作品を知りたいと思ったら、作者とタイトルを知ることが第一歩だ。

もし、あなたが六本木ヒルズに今いるなら、クモの足元をくまなくみて歩いてみよう。作品のデータが記載されたプレート（銘板）をみつけられるはずだ（写真2）。これをみればこのクモがルイーズ・ブルジョワという人の作品であること、作品名が《ママン》であること、2003年にこの場に設置されていること（1999年に最初の作品がつくられて、その後再制作されている）がわかる。

作者の名前を知ったら、続いてざっくりと検索してみよう。芸術家とその作品について、性別や国籍、どの時代に生きていたのかだけでも知っておくと、若干ながら理解が深められる。すると、ルイーズ・ブルジョワは、1911年フランス生まれで、2010年に亡くなった女性だということがわかる。名前と生没年、国籍、性別を知っただけで「長生き」「第一世界大戦、第二次世界大戦、戦後のフランス、もろもろ経験している」と、自由に連想ができるはずだ。

2：同前プレート部（著者撮影）

そして、タイトルに注目する。ママンとはフランス語で「おかあさん」という意味。戦火をくぐり抜け、激動の時代に長生きした女性が巨大なクモの彫刻をつくり、その彫刻に《ママン》と名付けた。これだけの情報でも、単に気持ち悪かったクモにもなんとなくドラマがあるような気になってこないだろうか。いったい、どうして彼女はクモに「ママン」と名付けたのだろう？と。次に、この作品をいろいろなところからみてみよう。たとえば、クモを真下から眺めてみる。すると、クモの腹部に丸い球のようなものがあるのが見えてくる（写真3）。これは大理石でつくられた約20個のクモの卵。そう、クモこそがおかあさん、「ママン」だったのだ。

波乱万丈な作者の人生

作者であるルイーズ・ブルジョワはフランス生まれ。タペストリーの修復工場を営む裕福な夫婦の間に生まれた。男児を望んでいた父親からは誕生を祝福されず、暴言を受けて育った。彼女が11歳のころ、養育係という名の父親の愛人が家にやってきて同居を始める。父親、母親、愛人、兄弟との奇妙な共同生活に、思春期を迎えた彼女の心は深く傷ついていた。この状況を受け入れていた母親に、いつしかブルジョワは、忍耐強く、気高いクモの姿を重ね合わせていく。遠くから見ると不気味だったクモなのに、作者の背景やタイトルの意味を知り、近くで作品をまじまじと見ると、その印象が自身のなかでかなり変わったことに気が付かないだろうか？

3：同前部分（著者撮影）

この《ママン》のように公共空間に設置される芸術・文化作品のことを「パブリックアート」と呼ぶ。日本、いや世界には無数のパブリックアートがあり、《ママン》のように人々の心をときどき揺さぶっているのだ。

クモからわかる、森ビルの意気込み

しかし、どうして六本木ヒルズの入り口、そして地上54階建て、高さ238mという、六本木ヒルズのシンボル、森タワーの目の前にこの《ママン》があるのだろうか？《ママン》を正面に、森タワーを右手側に見たとき、左手側にはドイツの現代アーティスト、イザ・ゲンツケンによる8mもの立体作品《薔薇》がある。この作品を入り口に置いてもよかったのでは……？　そんな疑問に、森ビル株式会社文化事業部業務推進部部長補佐の松島義尚さんは「いいえ、明確な理由があります」と答えてくれた。

そもそも、六本木ヒルズのパブリックエリアには、2003年の竣工当時、森美術館初代館長、デヴィット・エリオット監修による6作品、またテレビ朝日敷地内には建物の設計を担当した槇文彦が選定した3作品が設置されていた（2013年に1作品追加）。

「六本木ヒルズは、森ビルが『文化都心を作る』意思を持ち、手がけた場所で、オープンにあたり『東京の文化の中心にする』と宣言まで行いました。エリオットは、この六本木ヒルズの理念に沿って世界各国から作家と作品を選定しました。ただ、あの場所に《ママン》を設置すると決めたのは先代社長の森稔《もりみのる》（1934〜2012）なんです。彼は六本木ヒルズを、人と人が出会い、新たな価値や情報が発信される場になってほしいと考えていた。そんなときに、知恵の象徴とも言われる『クモ』の形をした《ママン》が六本木に来ることとなり、この場所に置かれることとなったのです」と松島さんは語る。

また、クモの多くはエサを取るために、巣の中心にいる。情報という網の目の中心にいて、世界に情報を発信したいとの想いも込めたという。それゆえに、あの目立つ場所に《ママン》が置かれ、訪れる人達の目をひいているのだ。

ちなみに、《ママン》は、大地震が発生しても足が折れないよう、8本ある足のうち、固定されているのは2本だけなのだそう。また、足の置かれている地面だけ床材の素材が微妙に異なっているのだそうだ。六本木ヒルズを訪れたときは、《ママン》を遠巻きに眺めるだけではなく、真下に入っておなかや足元もしっかりとチェックしてみてほしい。

あらためて考えると不思議な存在

しかし、東京や近郊に暮らしていて六本木ヒルズを訪れる人は、よく思い出してほしい。ここを訪れ、初めて《ママン》をみたときのことを。そして、この文章を読む前に六本木ヒルズを訪れたときのことを。あなたははじめのころは《ママン》を、ちょっと異質なものとして見ていたはずだ。やがて、その感情は六本木ヒルズ通いに慣れていくにつれ、次第に薄れていったはず。

この文章を読むまでは《ママン》が視界に入ってもなにも思わない、それどころか見たことも覚えていない存在になっていたのではないだろうか？

パブリックアートの多くは、私たちの日常風景の一部になってしまっている。駅前の彫刻の多くが、芸術作品として鑑賞されておらず、だれもがその前を素通りしている。本来は通る人々に異物として認

4：ホセイン・ヴァラマネシュ《きみはただここにすわっていて。ぼくが見張っていてあげるから》1994（提供：立川市）／ファーレ立川（56頁）内の車止め兼アート。歩道には作者の影が。

5：福田繁雄《ダンス》1990（著者撮影）／横浜ビジネスパーク（157頁）内の作品。グラフィックデザイナーとして著名な福田は、立体作品も制作した。

識されるべきものなのにもかかわらず、だ。

どのパブリックアートにも《ママン》のように、名前や謂われがあり、作者がいて、置かれた理由がある。それらの情報にいちどでも接し、意識をすれば、私達はパブリックアートを風景というレイヤーから独立して切り出し、認識することができるようになるのだ。

この本では、全国各地にある、風景のなかに埋めておくにしてはもったいないパブリックアートをとりあげ、その歴史とみどころを紹介していく。パブリックアートの存在を意識できるようになれば、街の見え方も変わってくるし、街を楽しむ要素もぐっと増えていく。この本に掲載されていないパブリックアートにも興味が湧き、街を「無料の美術館」として楽しめるようになる。

そして、ゆくゆくはパブリックアートを見るためだけにその土地を旅行するまでになっていただけるとありがたい。あまり人からは理解されづらいけれど、確実に楽しい人生になるはずだ。

さあ、パブリックアートをめぐる旅にでかけよう。

第2章

日本はパブリックアート大国

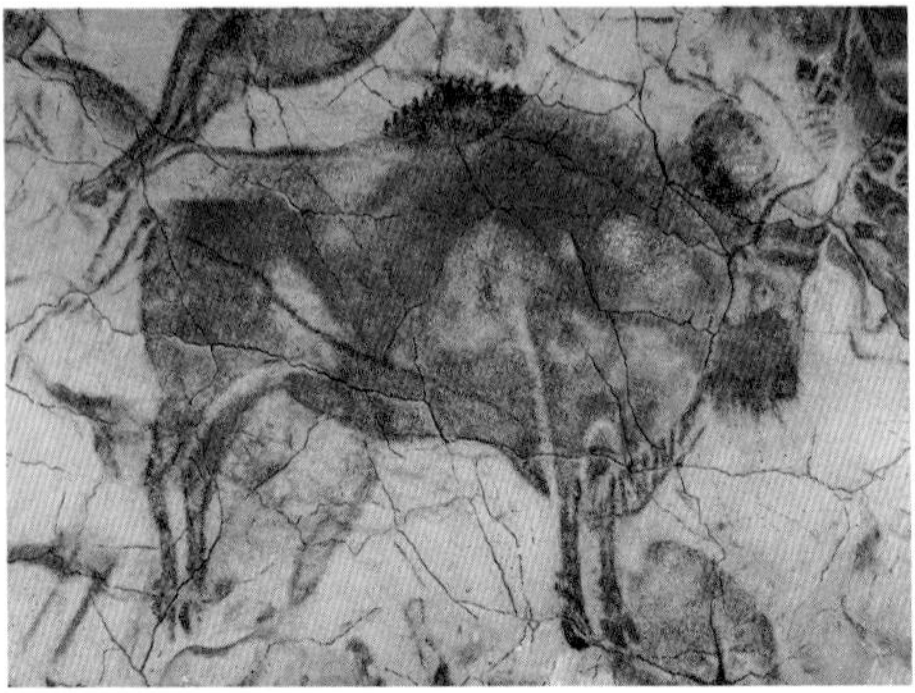

6：《アルタミラの洞窟壁画》部分（提供：iStock）／スペイン北部で1万数千年前に描かれた壁画。

作品の歴史がわかれば尊くみえてくる

パブリックアートという言葉と概念は１９６０年代のアメリカで生まれたとされる。

もちろん、この言葉が生まれるはるか前より、ラスコーやアルタミラの洞窟壁画（写真6）、教会内の絵画やステンドグラス、建築物のファサードにほどこされた石彫の彫刻、広場の中心にある巨大な噴水や彫像など、欧米の公共空間にはさまざまな芸術作品が配置されていたことも忘れてはならない。ただ、現在「パブリックアート」と呼ばれている作品とは大きな違いがある。

それは「人々が共有する空間の価値を、芸術作品の力を持って、よりいっそう高めたい」という意思の存在だ。すごく簡単にいえば「この場所になにかすてきなものを置けば、たとえば芸術作品を置いてみたら絶対いい感じになるよ」ということ。ただ、何を「すてき」と感じるかは人によって異なるし、それを「すてき」なものとした時代の空気はあっという間に変わる。それゆえに、現代の私達が見るとなぜこの作品が公共の場にあるのだろう？　と感じてしまうものもある。

だからといって、そのパブリックアートが無駄なもの、不必要なものではけっしてない。その作品は、その当時は空間の価値を高めてくれると期待されていたわけだから。私達が作品の来歴や作者、そして土地の歴史を知ればその作品は尊くみえてくるかもしれないのだ。

7：「連邦美術計画」の様子（提供：スミソニアン博物館、パブリックドメイン）

公共事業から生まれたパブリックアート

パブリックアートの誕生は、1929年10月に起きたニューヨーク株式取引所の株価大暴落、その後の世界大恐慌まで遡る。経済復興のため、アメリカのフランクリン・F・ルーズベルト大統領は大規模な公共政策「ニューディール政策」を行うことで、アメリカの景気を劇的に回復させた。ダムなどの土木事業を積極的に行い、数十億ドルを投入したことで知られるこの政策では、芸術分野への資金投入も行われていた。

1933年から1943年にかけて、ポスターや壁画、絵画に彫刻などが公共事業としてアーティストに発注された「連邦美術計画」（写真7）が行われる。このプロジェクトには、ジャクソン・ポロック、ウィレム・デ・クーニングやベン・シャーンなど、いまも日本で人気のアーティスト達が参加。公共空間が芸術作品に埋め尽くされていく。またスウェーデンでも同時期に同様の政策が行われている。これらの公共事業が現在に続くパブリックアートの起源だった。

もっとも、このころは「パブリックアート」という言葉はまだ生まれていない。この言葉は1951年、フランスで芸術振興政策の一環として、公共建造物の施主に総工費の1%を現代美術作品の購入に充てる法律が誕生、1960年代のアメリカで各地方自治体がフランスに続いて類する条例を制定する。その過程で「パブリックアート」という言葉と概念が誕生したのだ。

日本で独自に発展、「顕彰」のための像

そんなパブリックアートに関する欧米の動きが現在の日本にも大きな影響を与えているのだが、その一方で明治以降、独自の銅像文化が発達していた。「顕彰」の文化である。もともと、日本には仏像を制作する文化はあれど、人物像をつくり、外に置く文化は存在しなかった。それゆえ、公の場にある立体像は、神社の狛犬や、地蔵や道祖神などの信仰に結びついたものが多い。

しかし開国後、欧米を視察した人々を経由し、日本に人を称えるために銅像を制作する文化があることが伝えられた。その第一号は1891年に島根県津和野に設置された《亀井茲

監頌徳碑》（写真8）だ。亀井は石見国津和野藩の最後の藩主。茲監の養子で、美術コレクター、そして写真家としても活躍した亀井茲明の命で制作された。この像は現在も津和野の嘉楽園で見ることができる。

そして、《亀井茲監頌徳碑》が制作された2年後、1893年に制作されたのが靖國神社にある高さ12ｍにも及ぶ《大村益次郎像》（写真9）だ。じつは、近年までこの像が「日本の銅像第一号」とされていた。けれども『銅像時代：もうひとつの日本彫刻史』（2014年、岩波書店）や『股間若衆：男の裸は芸術か』（2012年、新潮社）など、銅像の研究でも知られる美術史家の木下直之の検証により、亀井のほうが制作が早かったことが分かっている。とは言うものの、全国では2番目ではあっても大村像は東京市で最初に制作された銅像。その影響力は全国に及んだ。

大村像を制作した大熊氏廣

8：菊地鋳太郎《亀井茲監頌徳碑》1891（提供：津和野町教育委員会）／「頌徳碑」とは偉業を讃えるために建立される碑のこと。

9：大熊氏廣《大村益次郎像》1893（著者撮影）／三條實美による顕彰文が書かれた台座を含め、像の高さは12mにも及ぶ。

（1856〜1934）は、工部美術学校でイタリア人教師ラグーザのもとで学んだ彫刻家。工部美術学校とは東京美術学校（現 東京藝術大学）より6年早い1876年に開校した、日本初の官立美術教育学校。教師はすべてイタリア人で、東京美術学校とは異なり女子にも門戸を開いていたが、国の財政難や国粋主義の台頭などにより1883年に廃校となってしまった。大熊はこの工部美術学校を1882年に首席で卒業、1885年に《大村益次郎像》の制作依頼を受け、ヨーロッパへ留学。彫刻技術と鋳造技術を学び、帰国後に本作を制作、足かけ8年がかりの大作となった。大村は生前の写真が残っていなかったため、大熊は彼の郷里、山口まで赴き、親族から綿密な取材を行ったという。

日本人の多くが初めて目にする「銅像」という新しい媒体、そしてその力強い表現で、《大村益次郎像》は瞬く間に東京の新名所となった。そして、全国各地にさまざまな銅像がつくられていく。その状況を、重要文化財《女》で知られる彫刻家、荻原守衛《おぎわらもりえ》（碌山《ろくざん》）は1902

年に「我が東京全市は、やがて銅像を以て埋められんとする勢である。盛んなる哉、銅像建立の事や」と嘆き、「謂ふ迄もなく銅像は一種の英雄崇拝である。偉人英雄のライフの具体化であることはまちがいである」「此れを市街や公園や衆人遊楽の地に建設する場合には、装飾的としての銅像の意義をも考えねばならぬ」と論じた。要するに、萩原は東京は偶像崇拝の彫刻だらけで、それを公共の場に置くのはどうなのよ？　と銅像ブームにうんざりしていたのだ。

その一方、銅像マニアも続々誕生したようで、1928年には銅像専門写真集『偉人の俤《おもかげ》』（二六新報社）が発売された。この本には632体の銅像とそのモデルはなにをしたのか、所在地や大きさ、作者などの詳細なデータが記載されており、当時の銅像ファン、そして現在の銅像研究者にはたまらない本となっている。『偉人の俤』は翌年に重版されており、出版社がビジネスを見込めるほど需要があったことが推察される。

とはいうものの、思いのほか街に銅像が増えてしまったため、明治政府は1900年に「形像取締規則」を発令。官有地、私有地どちらでも人々が往来する場所に銅像を設置するときには申請が必要となった。

しかし、あれほどまでたくさんあった銅像は、ある時期を境にあっという間に姿を消してしまう。第二次世界大戦だ。戦況の悪化に伴い日本の物資は枯渇。特に金属不足が深刻化したため、政府は1943年に「銅像等ノ非常回収実施要項」を閣議決定する。いわゆる」金

10（右）：安藤士《忠犬ハチ公像（二代目）》1948（著者撮影）
11（左）：安藤照《忠犬ハチ公像（初代）》1934（提供：毎日新聞社「渋谷駅名物忠犬ハチ公の像も金属回収で応召」1944年撮影）

属供出」だ。銅像の多くが回収され、溶かされ、飛行機や機関車などの部品に変えられてしまった。そのため、戦前につくられ現在も残っている銅像は本当に貴重なものだ。

渋谷だけでもたくさんの作品がみられる

じつは、今渋谷駅前にある《忠犬ハチ公》（写真10、11）は戦後生まれ。しかしモデルとなったハチは、１９２３年生まれの秋田犬だ。飼い主である東京帝国大学教授、上野英三郎を迎えに松濤の自宅から渋谷駅まで毎日通い続けていた。ハチは英三郎の死後も毎日のように渋谷駅に通い続け（周りの人がエサをくれたからという説もある）、主人の帰りを待っていた。

そんなハチのひたむきな姿に感銘を受けた彫刻家、安藤照《てる》（１８９２〜１９４５）は全国から寄付金を募り、１９３４年にハチ公像を制作、渋谷

12：作者不明《平和・国際都市　渋谷の碑（地球の上にあそぶこどもたち）》2002（著者撮影）／銘板に作者の記載はないものの、作品タイトルの題字を作家の平岩弓枝が務めたことは目立つ位置に刻み込まれている。

駅に設置した。その除幕式にはハチ自身も出席している。

しかし1944年10月、初代ハチ公は金属供出で回収される。浜松で翌年8月14日に溶解され、機関車の部品に生まれ変わったという。そして、作者の安藤照も同年5月25日に起きた山の手大空襲で亡くなってしまった。

戦後、地元住民からハチ公像をふたたび渋谷駅に置きたいという声が盛り上がり、安藤の息子で同じく彫刻家の安藤士《たけし》（1923〜2019）が2代目ハチを1948年に制作。しかし、当時はまだ金属が不足していたため、安藤士は父が残していた彫刻作品の一部を溶かして2代目ハチを鋳造している。

ここまで愛されているハチだからだろう、JR渋谷駅には「ハチ公改札」と、その名前が冠された改札口も存在している。全国各地の駅前にはさまざまな銅像が設置されているが、改札口の名前にまでなってしまうのはハチ公ぐらいだ。西郷隆盛像がある上野駅ですらも「西郷口」はない（約１００年遅れてきたパンダに上野のシンボルの座を明け渡してしまっている）。

渋谷駅にはハチ公以外にも多くの像や碑が並んでいる。スクランブル交差点そばには《平和・国際都市渋谷の碑（地球の上にあそぶこどもたち）》（写真12）が２００３年に設置されている。碑文には建立された経緯や設置者の「世界連邦渋谷区連合会」の名前が記載されているものの、作者が誰で、なぜこんな一等地にあり、なぜ子どもが地球の上に立っているのかなど、設置後わずか20年しか経過していないにもかかわらず謎が多い碑になっている。

13：大後友市《モヤイ像》1980（著者撮影）／東京23区内では渋谷のほかに蒲田駅前、竹芝桟橋にもある。

南口には新島生まれの《モヤイ像》（写真13）がいる。このモヤイ像は１９８０年に伊豆諸島の新島から東京都移管百年を記念して渋谷区へ寄贈されたもの。新島生まれの彫刻家、大《だい》後《ご》友市《ゆういち》が島興こしの一環として作り始めたモヤイ像は、全国各地に点在しているが、そのなかでも抜群の知名度を誇っている。

東口からすぐ、ビックカメラ渋谷東口店には、佐藤賢太郎によるふくろうの石像《ホープくん》（写真14）もいる。この作品は、2001年に渋谷宮益商店振興連合によって、商店街の活性化や繁栄の期待を込めて、旧東急東横店東館近くに建てられたもので、渋谷駅東口基盤整備等工事にともない2012年にこの場所に移設された。これら4点の作品は顕彰や記念、祈念、つまり〝願い〟が制作の起点となっている。

もう少し渋谷駅周辺をみてみよう。JR渋谷駅のハチ公口を出て、左手側の壁には北原龍太郎（1932～2013）が原画・監修を手掛けた《ハチ公ファミリー》（写真15）がある。

14：佐藤賢太郎《ホープくん》2001（著者撮影）

本作は、ハチ公にはクマ公という子どもがいた史実をもとに、北原が「もしハチ公に家族がいたら？」と想像を膨らませ原画を制作、レリーフ（平面上に起伏をつけた作品）化させたもの。1200ピースからなる陶板を組み合わせた本作は日本交通文化協会（161頁）が制作している。その日本交通文化協会によれば、《ハチ公ファミリー》について北原はその完成に際して、次のような詩を寄せたという。

15：北原龍太郎 原画・監修《ハチ公ファミリー》1990（提供：日本交通文化協会）／太陽と月、星が輝く宇宙空間ハチ公を含めて20匹もの秋田犬が集結。

壁画の前で会いましょう　北原龍太郎

出会いと別れのあるところ
よろこびとかなしみと
みんな一緒のおしゃれな広場
生きている楽しさ味わう広場
あなたと私のしあわせ話そう
『ハチ公ファミリー』壁画の前で会いましょう

北原は、この壁画によって、渋谷に新しい「待ち合わせ場所」をつくりたかったのだろう。

そして、渋谷駅渋谷マークシティー連絡通路内には日本を代表する芸術家、岡本太郎の《明日の神話》（68頁）が展示されている。なお、《明日の神話》近くには、天津恵による《Bright time》という陶板レリーフ作品があったが、現在は移設作業のため公開停止中。このほかにも、東京メトロ渋谷駅構内には画家の絹谷幸二が原画・監修の陶板レリーフ《きらきら渋谷》、渋谷スクランブルスクエアには漫画家、大友克洋による原画・制作監修のデジタルサイネージ《COLORS OVER SCRAMBLE》も設置されている。

これらの作品は、先に紹介したハチ公やモヤイ像らのように〝願い〟を元として作られたものではない。前章でも触れた「作品を置くことで、この空間をもっと良くしたい」という〝狙い〟をもって作られている。道でなにかの像を見かけたら、それが〝願い〟のために作られたものか、〝狙い〟を持って作られたものかをじっくり見て考えてみてほしい。〝狙い〟を持っている像、それこそがパブリックアートなのだ。

〝狙い〟がこめられたもの、それがパブリックアート

しかし渋谷駅を歩く人々には、ハチ公やホープくんたちがもつ明確な〝願い〟に気づく人は多けれど、パブリックアートの〝狙い〟に気づく人は少ない。そうなってしまうのは、日本の街がとにかく文字や色にあふれ、情報量が多すぎ、空間の価値をパブリックアートが高めていることがわかりにくいからだろう。人々は目に入った作品の情報を処理しきれぬまま歩き、脳のなかの「背景」というレイヤーにパブリックアートを閉じ込めてしまう。とてもすてきなパブリックアートが街のなかにあったとしても心のなかに入ってこないまま、通り過ぎていってしまう。なんともったいないことか！

次章では、より深く楽しむための基礎知識として、戦後日本でのパブリックアートの歩み

を概観している。この流れをおさえておけば、パブリックアート達が「背景」からぐっと飛び出してくるようにみえるだろう。

第3章

戦後日本のパブリックアートのながれ

終戦から1950年代
——焼け跡からひとまず再構築

前章でも触れたとおり、かつて日本の街には彫刻があふれていた。ただし、そこにあるのは偉人の銅像ばかり。そして多くは金属供出で街から消えた。札幌ではクラーク博士像、仙台では伊達政宗が撤去されている（2つの像は戦後再鋳造）。

生き残った銅像達もまた試練があった。1946年にGHQの意向を受けた政府は、プロパガンダを思わせる彫刻の移設や既存作品の撤去を指示。全国各地でGHQのご機嫌を損ねそうな銅像が撤去される流れが生まれたのだ。

東京都庁内には「忠魂碑銅像等撤去審査委員会」なるものが設置され、約20件の銅像が〝審議〟にかけられる。結果、戦前の東京で最も有名な銅像のひとつ、広瀬武夫中佐・杉野孫七兵曹長の銅像など9件の銅像や碑の撤去が決まった。これらの像は万世橋駅前にあったもので、朝倉文夫の実弟、渡邊長男が制作。西郷隆盛像や、楠木正成像なども撤去候補にあがっていたが、すんでのところで撤去を免れた。また青松寺前にあった肉弾三勇士の像など地域住民の自主的な判断で撤去される事例もあったようだ。

しかし、このがらんとした状態は短期的なものだった。1940年代後半よりあらたな彫刻作品が日本中に設置されはじめる。たとえば、千代田区の三宅坂公園。ここにはかつて北《きた》村西望《むらせいぼう》による《寺内元帥騎馬像》が設置されていた。大正期の軍人政治家、寺内正毅が勇ましく馬に乗る像であったが、この作品も金属供出により撤去、無人の台座のみが残った。

1950年、この無人の台座の上に菊地《きくち》一男《かずお》《平和の群像》(写真16)が設置される。本作は野外彫刻としては初めての裸婦像であり、電報通信社(現電通)創立50周年記念事業碑として制作されたもの。軍人の像が3人の裸婦に、しかも〝平和〟をタイトルにしたものにとってかわる。それは戦前の風景を知る当時の人には相当にインパクトの強いものだったはずだ。この作品以降街には、「平和」や「復興」をテーマに掲げた裸婦像、母子像が次々と出現する。それまでになかったタイプの銅像が街に増えていき、街の雰囲気も人々の心も変わっていく。けれども、いつしかありふれた街の風景に溶け込んでいき、現代の私達にはその力を感じることが難しくなっている。

ちなみに、電通はこの作品のほかにも1955年に千鳥ヶ淵公園《自由の群像》、1970年に代々木公園《しあわせの像》を設置している。陸軍にゆかりがある土地にふんわりした像を設置しているのはなにかの偶然だろうか。

16：菊地一男《平和の群像》1950(出典：『電通百年史』電通百年史編集委員会、2001年、171頁)／《寺内元帥騎馬像》の台座に戦後《平和の群像》が建った。作者の菊池一雄(右)と電通社長の吉田秀雄(左)。

コラム
みんなが知ってるあいつ 1

マーキュリー像

作　者：笠置季男
制作年：1951年
場　所：中央区東京メトロ日本橋駅

このコラムでは、みたことはある気がするが、でもじつはよく知らない、そんなぼんやりしたまちなかのパブリックアートを取り上げる。

東京メトロの主要な駅でときおり出くわす謎の胸像。未来派の作品を思わせる、けっこうアバンギャルドな出で立ちなのに、コンパクトサイズゆえにまったく目立たない。立ち止まって鑑賞すると通行人の迷惑になりそうな中途半端な場所にあることも多く、待ち合わせスポットにもならない。いったいこのコイツはなんなのか？

この像には《マーキュリー像》（写真17）というれっきとした名前がある。彫刻家、笠《かさ》置季男《ぎすえお》（1901〜1967）の作品だ。1951年、東京メトロの前身である帝都高速度交通営団が銀座駅の出入口を改修するにあたり、地下鉄のシンボルとして制作された。その後、池袋駅、日本橋駅、さらに上野駅や浅草駅、大手町駅などにも配置されるようになった。その姿は1936年に開催されたベルリンオリンピックに出場した100m走選手を参考にしたといわれている。マーキュリーはローマ神話では商業の神であり旅

17：笠置季男《マーキュリー像》1951（著者撮影）／日本橋駅のマーキュリー像。
マーキュリーはギリシャ神話ではヘルメスの名前で知られる。

人の保護神。さらには情報も司る、マルチな神様で設置から50年以上、主張することなく東京メトロを利用する人々を見守っている。

なお、笠置の作品は、日本橋髙島屋の南側5階バルコニー部分にも塑像が設置されている。つまり、日本橋では地上と地下、2つの笠置作品が鑑賞できるということ。さらに、日本橋髙島屋は百貨店建築としては初めて国の重要文化財に指定されており、1階エレベーターの扉は画家の東郷青児《とうごうせいじ》がデザインするなどみどころが多い場所。日本橋でマーキュリー像をみる機会があるときは、ぜひ地上まで上がって髙島屋を、そして余力がある時は日本橋三越の佐藤玄々《げんげん》《天女像》（120頁）も鑑賞しよう。

1960年代
――日本の芸術祭は宇部からはじまった

戦後、日本はみるみる復興を遂げていく。同じく欧米の成長も著しく、人々の価値観も大きく変化。ネオ・ダダにポップアート、ミニマル・アートなどいわゆる「現代美術」が怒涛のように生まれ続けていた。このころ、高松次郎《たかまつじろう》（1936〜1998）、赤瀬川原平《あかせがわげんぺい》（1937〜2014）、中西夏之《なかにしなつゆき》（1935〜2016）の3人で結成した美術家集団ハイレッド・センターは、駅のホームや電車内でパフォーマンスを突発的に行う「山手線事件」（1962年）、帝国ホテルに招待客を呼び寄せた「シェルタープラン」（1964年）、銀座の路上を全身白衣で清掃する「首都圏清掃整理促進運動」（写真18）など、美術館やギャラリーではなく、社会に対して直接的に関わる芸術運動を行っていた。

この当時、まだ日本にはパブリックアートという言葉はなく、街の彫刻は「野外彫刻」とよばれていた。そして、その「野外彫刻」に大きな動きがおきる。1961年、山口県宇部市でスタートした「宇部市野外彫刻展」だ。

戦後の急速な工業化により、「日本一灰の降る街」と呼ばれ、治安にも不安のあった宇部市は「花いっぱい運動」を1955年に開始。ケンカが多い場所に花を植え、平和なまちづくりを目指すという、植物の力を信じ切った運動であったが、これが功を奏し運動はさらに発展。花とともに美しい彫刻を街に配置する「宇部を彫刻で飾る運動」が誕生した。この運動

18：ハイレッド・センター《首都圏清掃整理促進運動》1964（写真＝平田実 / ©HM Archive / Courtesy of amanaTIGP）

が盛り上がり、野外彫刻展が開催される運びとなった。彫刻展は2009年に「UBEビエンナーレ」と名前を変え、現在まで続いており、近年、全国各地で行われている芸術祭の草分け的存在となった。UBEビエンナーレには毎回、世界各地から数百点の応募があり、審査で選ばれた15点ほどを市内のときわ公園に展示。向井良吉（1918〜2010）の《蟻の城》（写真19）のように展覧会終了後に上位受賞作品はまちなかや公園等に設置される。そのため、宇部市はどこもかしこも彫刻でいっぱい。ときわ公園にもたくさんの彫刻が並んでおり、本格的な野外美術館となっている。

宇部市の野外彫刻展の試みは、1968年にはじまる「神戸須磨離宮公園現代彫刻展」や、1969年に開館した箱根彫刻の森美術館などに大きな影響を与えた。なお、第一回「神戸須磨離宮公園現代彫刻展」は、関根《せきね》伸夫《のぶお》（1942〜2019）が《位相‐大地》を発表した展覧会としても知られている。本作は深さ2・7m、直径2・2mに掘られた穴と、まったく同じ高さ、直径に固めてつくられた土

19：向井良吉《蟻の城》1962（提供：宇部市）／彫刻家・向井良吉は画家・向井潤吉の弟で、東京文化会館の音響壁面の制作やマネキン会社「七彩」初代社長として知られる。

の円柱でつくられた作品で、日本戦後美術史の象徴的な作品として知られている。そして、これらの野外彫刻展は1970年代以降に日本各地で行われる「彫刻のあるまちづくり事業」に影響を与えていく。

野外彫刻展の作品は「平和」や「復興」などの意味を持っていない、つまりモニュメント的な性格を帯びていない。「顕彰」や「願い」の意味を持たず、ただ美術作品として配置されることは、明治以降はじめてのことで当時としてはとても斬新だっただろう。

コラム
みんなが知ってるあいつ 2

新宿の目

作　者：宮下芳子
制作年：1969年
場　所：新宿区新宿駅西口

《新宿の目》（写真20）は、新宿駅西口のランドマーク的存在となっている高さ3m、幅10mからなる目を模した作品。スバルビルの竣工にあわせて1969年に制作されたもので、作者は彫刻家の宮下芳子《みやしたよしこ》（1929〜）。宮下は「時の流れ、思想の動き、現代のあらゆるものをみつめる〝目〟21世紀に伝える歴史の〝目〟」をコンセプトに制作したと自身のウェブページで述べている。しかし、2022年に出演したテレビ番組『美の巨人たち』（テレビ東京）において、「あれは取材用のコメントで、本当は『いい男が歩いていないかな』と思ってみている目だ」という言葉をのこしている。作品は内部に照明が埋め込まれおり、目頭と瞳の部分が回転。当初は1時間に1回目をつぶる仕組みも検討されていたそうだが、予算の都合で見送られてしまったという。シンプルな動きにもかかわらず、そのインパクトは非常に力強い。これまでさまざまなドラマや映画などのロケ地にもなっている。2011年の東日本大震災発生に伴う節電要請により、回転装置や照明を一時停止。2015年に内部照明をLEDに付け替え、再度点灯することとなった。しかし、現在はふたたびその光は消えている。

20：宮下芳子《新宿の目》1969（提供：iStock）／関根伸夫《位相ー大地》の翌年に発表。当時の混沌とした時代の空気をわずかながら感じることができるのもパブリックアートのおもしろさのひとつ。

というのは、作品誕生のきっかけとなったスバルビルが建て替え中で電気の確保ができないためだ。スバルビルはその名のとおり富士重工業株式会社（現・株式会社SUBARU）本社のあったビル。2011年3月に富士重工業から小田急電鉄に売却され、2018年7月に閉鎖。2019年5月より解体作業が行われている。ビル建て替えに伴い、本作品も撤去が危ぶまれていたが、現在のオーナーである小田急電鉄は当面のところその予定はないと発表しているものの、動向が注目されている。

作者本人の公式なコメントと作者の本音とのギャップも含めて楽しみたい作品。再点灯がまちどおしい。

1970年代——街に彫刻がやってきた！

1970年、日本万国博覧会、通称「大阪万博」が大阪府吹田市の千里丘陵を会場に開催された。「人類の進歩と調和」をテーマに掲げたこの万博には、77カ国が参加、183日間の会期中に6421万8770人が会場を訪れた。ここでひときわ目を引いたのが丹下健三が設計した「お祭り広場」。そしてその大屋根をぶち抜く、岡本太郎による《太陽の塔》（写真21）であった。高さ70mにも及ぶ、岡本曰く「ベラボー」な塔は、当初は会期終了後に撤去が予定されていたが、塔に魅了された人々の署名運動などにより永久保存が決定。現在までも日本のパブリックアートの草分け的存在として君臨している。岡本太郎はこの《太陽の塔》（92頁）と《明日の神話》（68頁）の制作を同時進行させていたという。日本を代表するパブリックアートの2点が同時期に制作されていたのは驚きだ。

21：「黄金の顔」の取り付け作業が行われた太陽の塔の前で、乾杯する製作者の岡本太郎（提供：共同通信「太陽の塔に黄金の顔」1969年撮影）／当時の岡本太郎は日本と《明日の神話》の発注元であるメキシコとを頻繁に往復していた。

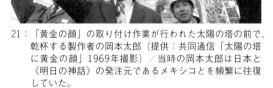

22：エミリオ・グレコ《夏の思い出》1979（提供：仙台市百年の杜推進課）／仙台のシンボルロード、定禅寺通りに配置されている。不自然なほどに体をひねっているにもかかわらず優美に見える女性像。

１９７０年代、岡本太郎が巨大作品を制作する一方で、街のなかにたくさんのコンパクトな彫刻が出現した。その主導者はほとんどが地方自治体だ。長野市では１９７３年から彫刻作品を購入し、街に設置する。八王子市では１９７６年から彫刻シンポジウム（51頁）を開催。完成作品を譲り受け、街のなかに配置するようになった。そして、１９７７年、仙台市は市政88年を記念してこれまでになかった事業、「彫刻のあるまちづくり」をスタートさせる。

仙台市は、街に彫刻を配置するための専門家委員会を結成。委員会は設置する場所を決め、その場所にふさわしい作家を選定し、その作家は現地を訪れその土地に調和する作品を構想・制作を行う。前述した宇部市も同じように街に彫刻を置いているが、仙台市は作品を置く舞台として「まち」をより強く意識したのだ。このオーダーメイド方式、のちに「仙台方式」と呼ばれる方法を用いれば、街の空間と彫刻が調和を考えた作品が生まれるため、よりよい景観をつくることができる。この事業を多くの地方自治体が参考とし、結果として全国の街に彫刻があふれていく。

この仙台市の「彫刻のあるまちづくり」事業により、東京藝術大学の同級生であり、ライバルであり、ときに同じ長屋に暮らすほど仲良しコンビ、佐藤忠良《さとうちゅうりょう》《緑の風》、舟越保武《ふなこしやすたけ》《茉莉花》のほか、イタリアを代表する現代彫刻家エミリオ・グレコ《夏の思い出》（写真22）など商業空間や都市公園、文化施設の周辺に、著名作家による彫刻作品が配置されるようになる。もっとも、イタリア人彫刻家・ジャコモ・マンズーは大の飛行機嫌いで、どうしても仙台を訪れることができず、この作家の《オデュッセウス》（写真23）だけは選定委員会で場所を選定し、設置したという。

1977年以降、仙台市に影響を受け、「彫刻のあるまちづくり」を行う自治体が増加する。ためしに「彫刻のあるまちづくり」という言葉で検索してみよう。すると、全国各地、さまざまな自治体のサイトが現れるはずだ。日本全国のまちなかにたくさんの彫刻がある大きな理由のひとつ、それが「彫刻のあるまちづくり」なのだ。

23：ジャコモ・マンズー《オデュッセウス》1986（提供：仙台市百年の杜推進課）／グレコ、マンズー、そしてヴェナンツォ・クロチェッティのイタリア人彫刻家3名の作品はいずれも定禅寺通に配置。

コラム
みんなが知ってるあいつ
3

傘の穴は一番星

作　者：谷内六郎
制作年：1975年
場　所：港区表参道交差点

ファッションの街で出会えるとラッキーな気持ちになるのが、表参道交差点そばにある山陽堂書店のモザイクタイル壁画《傘の穴は一番星》（写真24）だ。原画は、週刊新潮の表紙を創刊号から26年間描き続けた画家、谷内六郎《たにうちろくろう》（1921〜1981）が描いた。この壁画は「週刊新潮」のために描いた絵を元に制作されたと考えられている。

そもそも、山陽堂書店は1891年に青山で創業、1931年に現在の地に移転した。当時山陽堂書店は現在の3倍の敷地面積を持つ書店だった。しかし、1964年の東京オリンピックの開催に伴い道路の拡幅が決定。新しい道路幅に合わせて建て替えを検討したものの、建物が頑丈にできていたため取り壊しが困難となる。そこで、やむなく道路にかぶらない部分のみを残すこととなった。そのため、表参道側に大きな壁が出現することとなる。その壁を当時の新潮社上層部の人間が通勤時に目撃し、この壁を使ったモザイク壁画広告が提案され、1963年に初代の壁画が制作されたと言われている。現在の《傘の穴は一番星》は、1975年のリニューアルで誕生した2代目壁画だ。

この山陽堂の壁画に感動したのが、東京都北区にあった金龍堂書店の店主だ。店主は新潮社にかけあい、１９６５年頃に旧金龍堂書店ビル（現 堀越ビル）に壁画を制作、現在もそのままの姿をみることができる。現存する谷内六郎のモザイク壁画のなかで最も古い。

24：谷内六郎《傘の穴は一番星》1975（提供：村山ひでこ）／傘に空いた穴を星のように見上げる少年が表参道に降り立ってまもなく50年を迎える。なお壁画は幕で覆われることもある。

このほか、東京都新宿区の新潮社本社別館、くまざわ書店八王子店、北海道苫小牧市の苫小牧科学センター、富山県富山市の１００円ショップシルク総曲輪店（旧清明堂書店本店）、静岡県静岡市の１００円ハウスレモン呉服町店（旧谷嶋書店呉服町本店）など、谷内の壁画は全国各地に点在しているが、みられる機会は少なくなっている。みかけたらゆっくりと鑑賞してみよう。

1980年代
——街はうんざりするほど彫刻だらけ？

世界大恐慌の雇用対策・景気対策の一環で芸術家達に制作の機会を与えた政策は、戦後の欧米において、文化政策としてブラッシュアップされた。フランスを起点にはじまった、公共施設の建設にあたり建設予算のいく分かをアート作品の設置や購入に充てるこの政策は、1959年、アメリカのフィラデルフィア市での条例制定をきっかけに全米各地に広がっていき、1960〜1970年代に「パブリックアート」という言葉と概念が生まれ、市民権を得ていく。

その一方、1980年代に入り、パブリックアートは軋轢も生み出していた。そのひとつが「セラ事件」だ。世界的に名の知られた彫刻家、リチャード・セラ（1938〜）はニューヨークの複合ビル、フェデラルプラザに1981年、巨大作品《傾いた弧》を発表した。この作品は高さ3・6m、横幅36mにも及ぶ巨大な作品で、アメリカ連邦調達庁のパブリックアート・プログラムの一環として設置された。しかし、その作品はあまりにも威圧的で圧迫感があった。なおかつ、歩行者の視界や通行を妨げるものであることから苦情が殺到。数年にわたる協議を経て、1985年に作品の移設が決定した。しかし、作者であるセラは「サイトスペシフィックな作品（展示される場所の環境を考慮に入れた作品）なので、ほかの場所に移動することは認めない」と移設を拒否。裁判で争われ、1989年にようやく政府の決定で撤去されることとなった。この事件は、公共とはなにか、公共にあるべき芸術とはどのようなものか？　そして、芸術家の権利とはどこまで守られるべきものなのか？　などのさまざまな問題を投げかけた。

そんな海の向こうの騒ぎを尻目に、日本では「彫刻のあるまちづくり」がさらに発展していく。加えて「彫刻シンポジウム」なるイベントが1980年代に入り全国各地で開催されるようになった。「彫刻シンポジウム」とは、有識者が壇上で発表や議論を行う一般的なシンポジウムとは若干意味合いが異なり、彫刻家同士、ときには一般参加者を交えて、創作と生活の場を一定期間共有しながら、作品を公開制作していくイベントである。1959年、オーストラリアで世界初の彫刻シンポジウムが開催され、日本では1963年に神奈川県の真鶴半島で開催された「世界近代彫刻シンポジウム」を皮切りに、全国各地で開催されるようになる。前述したように八王子市では1976年に第一回「八王子彫刻シンポジウム」を地元青年会議所の予算で開催。シンポジウム中に生まれた作品は市に寄贈さ

25：岩崎幸之助《階段-柱-》1993（提供：八王子市）

26：菊地伸治《地平線の記憶》1991（提供：八王子市）

れ、その後、市内中に設置された。八王子市は以降のシンポジウムを市の予算で開催。1995年でシンポジウムが幕を閉じるまでに103基の作品が市内に配置された（写真25、26）。八王子市に続き、1983年には神奈川県川崎市、1989年には岡山県笠岡市や兵庫県池田市、長野県富士見町、岐阜県美濃加茂市、長野県東部佐久地方（10市町村共同開催）など、全国各地でシンポジウムが開催され、彫刻がその地に置かれるようになり、日本全国ますます彫刻が増えていくこととなっていく。

しかし、1970年代の「彫刻のあるまちづくり」事業とあわせあまりにも町に彫刻が増えすぎてしまい、「彫刻公害」という言葉で巷の彫刻を揶揄する動きも現れはじめていた。

コラム
みんなが知ってるあいつ
4

平和の誓い

作　者：小金丸幾久
制作年：1986年
場　所：品川区JR大井町駅

SNS、特にツイッター（Twitter）のヘビーユーザーは、「子どもからツイッターを取り上げる母の像」と銘打たれた画像を目にしたことがあるだろう。それは右手を高らかにツイッターのアイコンにもみえる鳥を掲げた母親と、足元でいじける子どもの母子像だ。もちろん、この作品はツイッターをモチーフにした作品ではない。

この作品の正式なタイトルは《平和の誓い》（写真27）。作者は長崎出身で、品川区で制作を行っていた彫刻家、小金丸幾久《こがねまるいくひさ》（1915〜2003）だ。本作は品川区が1985年に表明した「非核平和都市品川宣言」の1周年を記念して1986年に設置された。非核平和都市宣言は1500以上の自治体が宣言を行っている、恒久平和と核兵器廃絶の願いを願うもの。1958年に愛知県半田市が最初に行い、その後イラン・イラク戦争や冷戦のただなかの1980年代に宣言を行う自治体が激増。品川区が宣言を行った1985年には200もの自治体が非核平和都市宣言を行っている。品川区では、この宣言にあわせ、平和の象徴である鳩が爆弾をくわえているぶっそうなシンボルマークを制定した。鳩の尾と胴体は「品川」を模したデザインになっている。《平和の

27：小金丸幾久《平和の誓い》1986（著者撮影）／作品のそばには、広島市平和記念公園の「平和の灯」と長崎市平和公園の「誓いの火」から採火したガス灯もある。

誓い》像は、このシンボルマークを母親が右手に高くかざし、次の世代の代表である男児がそれをみつめている姿を表現しているのだ。そして、台座は原爆のきのこ雲をかたどっている。この《平和の誓い》像は、大井町駅前以外にも、大崎駅近くの大崎ニューシティ、ＪＲ西大井駅前、五反田文化センター内にもミニチュアが展示されている。じつは品川っ子にはかなり馴染み深い像だ。インターネットのミーム化した作品の裏には、深い願いが込められていたのだ。

1990年代――「パブリックアート元年」・イン・ジャパン

1990年代は日本におけるパブリックアートの一大転換期だった。1980年代末から美術や都市計画の界隈に上陸した「パブリックアート」という言葉は、1989年、8月21日に朝日新聞においてメディア初登場。この前後より、パブリックアートという言葉は社会に浸透し、使われるようになっていった。

1991年に竣工した新宿の東京都庁舎は、周辺には彫刻やレリーフなど、公募8点を含めた38の作品が設置・公開された（写真28）。丹下健三設計の2つの本庁舎と議事堂の3棟からなる建物の建築費用はざっと約1500億円。そして、アート作品の購入・設置予算は、東京都庁の建築費の1％強、約16億円が費やされている。公共施設へ芸術作品を建築前から組み入れる動き、そして予算配分が欧米と同じ規模というのは非常に進歩的な話にみえた。しかし、配置された公募以外の30点のラインナップ

28：掛井五郎《風の中》1990（著者撮影）／東京都庁前、都民広場に設置されている。

29：ロバート・ラウシェンバーグ《自転車もどき VI》1994（提供：ファーレ立川アート管理委員会）／本作ほか、ファーレ立川にはネオンなどを使い、夜に美しく見える作品を複数配置している。

は、１９７０年代にひきつづき佐藤忠良や舟越保武、東京都美術館の球体（71頁）でおなじみの井上武吉などビックネームばかり。作家の平均年齢は69・7歳という後期高齢者直前の年齢。さらに、納入された作品の多くが既成作品。試みとしては新しかったものの、内容に関しては旧態依然の「美術業界」の力学が野外に飛び出たようにしかみえないものであった。

その一方で、ふたつのプロジェクト、ファーレ立川と新宿アイランドによって、パブリックアートは急激な変化を遂げる。両プロジェクトはどちらも住宅都市整備公団（現 独立行政法人都市再生機構）が手掛けた市街地再開発事業で、事業の一環として敷地内に芸術作品を配置することが計画に組み入れられた。

東京都立川市にあるファーレ立川は、米軍基地跡地に誕生した5・9haの街。ホテルやデパート、映画館に図書館など11棟の建物から構成されている。ファーレ（faret）とはイタリア語の「創る（fare）」と立川の頭文字「T」を組み合わせたものだ。

ファーレ立川ではアートプランナーの北川フラム（１９４６〜）のディレクションにより、「街を森にみたてる」というコンセプトのもと、36カ国92人のアーティストによる１０９のパブリックアートが設置されている。その作品群は先に紹介した「彫刻のあるまちづくり」とは一線を画していた。車止めやベンチ、街頭、駐輪場のサインなど、街の機能と一体化している作品が全体の約７割を占めている。たとえば、アメリカを代表する現代美術作家、ロバート・ラウシェンバーグ（１９２５〜２００８）の《自転車もどきⅥ》（写真29）は、普段使っている自転車にネオンをつけた作品で、地下駐輪場の看板として機能している。また、フランスの女性作家、ニキ・ド・サンファル（１９３０〜２００２）の《会話》（写真30）はベンチとして道のまん中で多くの人々をうけいれている。

30：ニキ・ド・サンファル《会話》1994（著者撮影）／ふたつの座面が互い違いに設置されたベンチ。ふたりで座ると向かい合って会話することができる。

ファーレ立川の翌年に生まれた新宿アイランドもまた、新しいパブリックアートとして多くの人々を驚かせた。敷地面積は約２・２haとファーレ立川の半分以下なものの、超高層ビルや専門学校、住宅な

31：長沢英俊《Pleiades》1994（著者撮影）／プレアデスの和名は「昴」。白い大理石で7つの星が表されている。

どが並び、多くの人々が行き交うことが竣工から予想されていた。プランナーは元森美術館館長で美術評論家、南條《なんじょう》史生《ふみお》（１９４９〜）が務め、知名度が高く社会的な評価を得ている作家10人による14作品が選ばれた。作家には、建築家やプランナーより形態や色彩、素材などの要望が伝えられ、作品の多くがそれを反映して制作された。長沢英俊（１９４０〜２０１８）の《Pleiades》（写真31）は池の形と周囲の建物に調和するよう７つの大理石の彫刻が配置されており、ジルベルト・ゾリオ（１９４４〜）の《Le Stelle di Tokyo》（写真32）は新宿アイランドの３カ所の舗道に埋め込まれた彫刻だ。

この新宿アイランドで有名なのは、ロバート・インディアナ《LOVE》（86頁）だが、実はこれは作者自身が街に配慮した作品ではない。もともと、《LOVE》は絵画作品。このオマージュとして絵画と同じ赤、青、緑の色使いで制作したものだという。

ファーレ立川と新宿アイランドの成功で、日本のパブリックアートは、単に作品を置くのではなく、都市計画の段階からプランナーやアーティストが参画するようになった。その後、北川フラムは、2000年より開始した「大地の芸術祭 越後妻有アートトリエンナーレ」の総合ディレクターに就任。「瀬戸内国際芸術祭」「北アルプス国際芸術祭」「奥能登国際芸術祭」などをオーガナイズし、現在にいたる芸術祭ブームを巻き起こす。また、南條史生は、1997年に神奈川県横浜市の「ゆめおおおか・アートプロジェクト」や、1997年の福岡県福岡市での「博多リバレインアートプロジェクト」をはじめとした各地のパブリックアートプロジェクトにも参画、さらに森美術館館長も務めるなど（2019年退任）、現在も日本の現代美術シーンを牽引している。ファーレ立川と新宿アイランドはパブリックアートのみならず、日本の現代美術全体に大きな影響を及ぼしたのだ。

32：ジルベルト・ゾリオ《Le Stelle di Tokyo》1994（著者撮影）／作品名は「東京の星」という意味。歩道に埋め込まれた星型の作品。

コラム
みんなが知ってるあいつ
5

南瓜

作　者：草間彌生
制作年：1994年／2022年
場　所：香川県香川郡直島町

瀬戸内海のアートスポットとして、日本だけでなく世界中から観光客がやってくる島、直島。この島を象徴する作品のひとつが、1994年に草間彌生《くさまやよい》（1929〜）が制作した高さ2m、幅2・5mの《南瓜》だ（写真33）。草間彌生が幼いころからみえていた水玉模様が南瓜に描き出されている本作は彼女の代表作であり、初めての屋外展示作品だ。

海につきでた古い桟橋に設置されていた黄色と黒のビビッドな南瓜は、青い海と空をバックに、みたことがない風景をつくりだしている。本作品は、もともとは宿泊施設を備え、現代美術に特化した美術館「ベネッセハウス」の企画展のために、制作・展示されていたもの。企画展が終了したあとも、ベネッセハウス ミュージアムの屋外作品として展示されている。だれもがアクセスできる場所にあるため、この南瓜をみるために早朝から夕方まで多くの観光客が詰めかけ、現在は記念写真を撮影するために行列もできるほどだ。

なお、2021年の8月にこの南瓜は台風による高波で海に流され大破してしまった。

33：草間彌生《南瓜》 2022（撮影：山本糾、提供：ベネッセアートサイト直島 ©YAYOI KUSAMA）／ベネッセハウスに宿泊すれば、早朝の誰もいない時間に南瓜を独り占めすることが可能。

2022年に復元制作され再展示されている。現在は高波時には一時避難できるよう、作品上部にフックが取り付けられ、プラスチックの厚さを増やし、災害に強い南瓜になっている。

草間の《南瓜》は福岡県の福岡市美術館2階の屋外広場エスプラナードや青森県十和田市のアート広場にもあり、鑑賞が可能。また、直島にはほかにも《赤かぼちゃ》（2006年）という、赤色の水玉模様のかぼちゃがある。フェリー乗り場近くに配置されており、島に降り立つ人達を出迎え、島から帰る人達を見送っている。

2000年代から現在まで
——大きく、そしてダイナミックに

ファーレ立川や新宿アイランドの誕生以降、日本のパブリックアート、アートの世界は大きく変化し続けている。2000年、新潟県の越後妻有《えちごつまり》地域（十日町市、津南町）で「大地の芸術祭 越後妻有アートトリエンナーレ」がスタート。この国際芸術祭は広大なエリアに国内外のアーティストがその地域の特徴をモチーフに作品（写真34）を発表するイベント。総合ディレクターには、ファーレ立川を手掛け新潟県出身の北川フラムが就任した。棚田や神社、旧校舎や空き家だった民家、病院など、地域の資源を作品や展示会場に仕立てていく。3年に1度の開催期間以外も鑑賞できる作品が多く、通年で観光客が訪れるようになっていった。

そして、2002年には本書の第1章で紹介した六本木ヒルズがオープン。パブリックアートの選定には1995年に新宿アイランドを手掛けた南條史生も関わった。それまでもエントランスなどにアートを取り入れたオフィスビルは多数あったが、この六本木ヒルズの竣工以降、東京ミッドタウン六本木（2007年）、虎ノ門ヒルズ（2014年）東京ガーデンテラス紀尾井町（2016年）や東京ミッドタウン八重洲など、パブリックアートを積極的にアピールする施設が増えている。パブリックアートは人々の注目を集めるものに変化を遂げているのだ。

2005年には北海道札幌市にモエレ沼公園（89頁）がグランドオープン。もともとはゴミ処理場だったこの土地を、世界的に活躍する彫刻家、イサム・ノグチが「全体をひとつの彫刻作品とする」というコンセプトで基本設計を担当。残念ながらノグチは基本設計の発表直後に亡くなってしまったが、23年の歳月をかけようやく完成にこぎつけた。現地に行かずとも、グーグル・マップやグーグル・アースでもその壮大さは確認できるはずだ。

そして、２０１７年、アーティスト・コレクティブChim↑Pom（正式名称：Chim↑Pom from Smappa! Group、２００５年８月結成）は、東京都杉並区にある築約70年の「キタコレビル」の中央部分の壁と床を取り払い、地面を舗装し、「道」を制作。それを《Chim↑Pom通り》（写真35）として発表、一般開放した。現在も24時間、自由に往来ができる。建物のなか、私有地のなかという完全なプライベート空間を公共空間として開放するという新しい形のパブリックアートになっている。

34：内海昭子《たくさんの失われた窓のために》2006（撮影：T. Kuratani、提供：大地の芸術祭実行委員会）

第二次世界大戦から約80年が経過し、軍人達の顕彰のための像は、平和や復興を願う像となり、さらには「まちづくり」という任務を背負わされ、やがて時代を経てパブリックアートという名前になった。現在、「ポケモンＧＯ」などのいわゆる「位置ゲー」

35：Chim↑Pom《Chim↑Pom通り》2017（Courtesy of the artist, ANOMALY and MUJIN-TO Production）

（スマートフォンのGPS機能を利用したゲーム）で、パブリックアートにはキーとなる場所として人々が集まっている。また、水木しげるロード（137頁）をはじめとした、漫画やアニメのパブリックアート化も進んでおり、「聖地巡礼」ブームも盛り上がる。いまこそ、あらためてパブリックアートをみつめなおす機会がきているのだ。

さて、次章ではまずみてもらいたいパブリックアートをリストアップした。この作品達をきっかけに、日本中のパブリックアートに興味を持ってもらいたい。

コラム　みんなが知ってるあいつ　6

グローイング・ガーデナー

作　者：インゲス・イデー
制作年：2007年
場　所：品川区大崎

大通りを歩いていると突然出くわすことが多いパブリックアートだが、作品によっては電車の窓からも目にすることもある。そのひとつが、JR山手線の大崎駅と五反田駅の間にある赤い帽子をかぶった妖精の像だ。真っ赤な帽子は長くうねうねと伸び、バタ臭い顔立ち。その不思議な出で立ちをじっくりみたくても、電車は作品からあっという間に遠ざかってしまい、謎の存在のまま。そんな印象を受けた人も多いのではないだろうか？　この像は、ドイツのアーティストグループ、インゲス・イデー（1992年結成）による《グローイング・ガーデナー（成長する庭師）》（写真36）。2007年に竣工した超高層ビル3棟を中心とした複合施設、アートヴィレッジ大崎の敷地内に設置されたものだ。大崎駅周辺は、かつては町工場が多く建ち並び、ものづくりの拠点となっていた場所。再開発の際に国内外の作家によるアート7作品の敷地内設置が決まり、「アートヴィレッジ」の名前の由来となった。《グローイング・ガーデナー》はそのうちのひとつで、電車からもみることができるため、特に人気がある。

《グローイング・ガーデナー》の姿は、ヨーロッパでは庭の守り神として知られているこびと「ガーデン・ノーム」を下敷きにしたもの。日本では園芸用品店やホームセンターで陳列されていたり、ガーデニングに力を入れている家の庭で、その姿をみかけることができる。本作品には、この場所の守り神の意味も込められているという。

インゲス・イデーはベルリンで結成された4人組のアーティストで、彼らの作品は日本では青森県にある十和田市現代美術館に隣接する「アート広場」で、《ゴースト》という巨大なオバケや《アンノウン・マス》という、トイレを覗いているような姿の立体作品を無料でみることができる。

36：インゲス・イデー《グローイング・ガーデナー》2007（著者撮影）／山手線の窓越しに見ると“ちょこん”とした存在感だが、近づいてみると威圧感を覚えるほど大きい。

第4章
みておくべき日本のパブリックアート30

37：岡本太郎《明日の神話》1968〜1969（提供：岡本太郎記念館）／毎年11月頃の終電後、ボランティアスタッフによって作品の「すす払い」が行われている。

1 明日の神話

岡本太郎　1968〜1969年

岡本太郎がディストピアの先にみたビジョン

渋谷駅西口にある、渋谷マークシティ連絡通路内にある縦5・5m、横30mの巨大な壁画（写真37）。もともとは、1968年のメキシコオリンピック開催に向けて建設中の44階建てのホテルのロビーに飾る壁画として、当地の実業家、そして芸術家のパトロンとして知られていたマヌエル・スアレスに依頼された作品だった。

激しい色彩の画面は原爆が炸裂した瞬間を描いている。画面右部には、1954年にビキニ環礁の水爆実験に巻き込まれ、被爆したマグロ漁船、第五福竜丸が死の灰を浴びながらもマグロを釣り上げている様子も描かれ、（写真38）画面上部にはきのこ雲も発生。中央にいる燃え盛る骸骨は、骸骨がひしめくメキシコの祝祭「死者の日」にちなんで描かれたものだという。その骸骨の後ろには無数の亡者と火の玉がうごめいている。

本作は単なる悲劇を描いた作品ではない。「人は残酷な惨劇さえも誇らかに乗り越えることができる、そしてその先にこそ『明日の神話』が生まれるのだ」という岡本太郎の強いメッセージが込められているのだ。

太郎は本作を大阪万博のシンボルで「人類の進歩と調和」をテーマにした《太陽の塔》（92頁）の制作とほぼ同時に進めていた。2つの作品は、一見すると正反対のテーマのようにみえるが、同じ未来をみつめている兄弟のような作品だ。

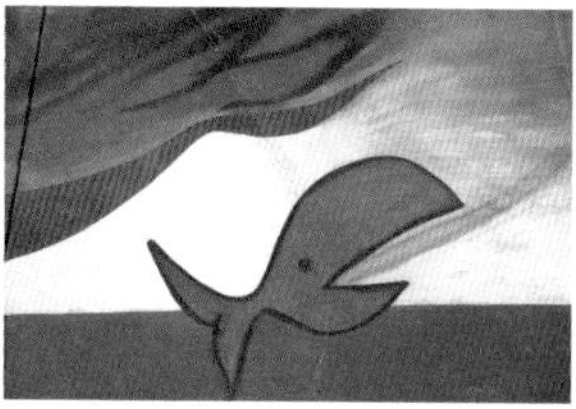

38：同前（部分）（著者撮影）／マグロも目を真っ赤にし、苦しそうにしている。

40年間、メキシコでねむっていた幻の名作

太郎は、この作品の制作のため2年間で30回もメキシコを訪問。地元に巨大なアトリエを作り制作を進めた。あとはサインを入れるだけで、作品はほぼ完成の状態だったが、依頼者の会社が倒産。長らくの間所在不明となっていた。2003年になり、岡本太郎の秘書で養女そしてパートナーの岡本敏子（1926～2005）がメキシコシティ郊外で発見。2005年から1

39：Chim↑Pom《LEVEL7. feat.『明日の神話』》2011（Courtesy of the artist, ANOMALY and MUJIN-TO Production）／Chim↑Pomが《明日の神話》の向かって右下に継ぎ足した作品。現在、岡本太郎記念館に収蔵。

年をかけて修復作業を行い、２００６年に汐留の日本テレビ、２００７年に東京都現代美術館で特別公開されたのち、２００８年より渋谷駅構内で一般公開されるにいたる。

なお、本作の一般公開にあたり、《太陽の塔》がある吹田市や、広島市や長崎市の市民団体などが誘致場所として名乗りを上げるなど、通常のパブリックアートにはない動きも見られた。それほど人々を魅了する作品ということなのだろう。

２０１１年には、Chim↑Pom（63頁）が《明日の神話》の一角に、東日本大震災により損傷した福島第一原子力発電所を思い起こさせる絵をゲリラ的に貼り付け、注目を集めた（写真39）。メンバー３人は書類送検されたものの、不起訴となり、その後この《「LEVEL7 feat.『明日の神話』」》は岡本太郎記念館に寄贈されている。

（東京都渋谷区渋谷駅）

40：井上武吉《my sky hole 85-2 光と影》1985（撮影：加藤健、提供：東京都美術館）／しゃがんで作品を見るのもおすすめ。地面のタイルがステンレスに映り込み、また違った見え方になる。

2 my sky hole 85-2 光と影

井上武吉　1985年

人気展覧会会場にある異質な存在

美術館と新聞社やテレビ局が共催し、大規模な宣伝を行い、大量の動員を図る展覧会を、近年は「ブロックバスター展」と呼ぶ。一日に数千人の入場者を呼ぶことができる美術館は数少なく、ブロックバスター展が開催できる美術館は、常に決まったところだ。その主要会場のひとつが東京都美術館である。この美術館の入口に、鏡面加工され、ピカピカに光り輝く銀色の玉が置かれている。空の色や樹木、都美術館のレンガ、そして作品を見ている鑑賞者など周囲にあるものすべてを映し出すこの作品は、天候や季節で表情を変え、一日として同じようにみえることがない。彫刻家、井上武吉《いのうえぶきち》（1930〜1997）による《my sky hole 85-2 光と影》（写真49）だ。1985年に東京都美術館で開催された個展のために制作され、その後こちらに展示されている。

大切なのは穴のほう

井上は作品のどこかが貫通している作品を〝my sky hole〟と名付け、生涯をかけてつくりつづけた。その理由を井上は「マイ・スカイ・ホールというのはぼくの入る穴のことだ。ぼくがその中にもぐって天をのぞくのだ」と『美術手帖』1985年7月号で書いている。つまり井上にとって本当に大切なのは、パチンコ玉のようなピカピカの球体ではなく、それを貫通している「穴」なのだ。そのことを知ってから、作品に対峙すると穴にしか目がいかなくなってくるからおもしろい（写真41、42）。井上のこのシリーズは様々な形態をとっているが球体の作品は東京都美術館の本作のほか、NBF日比谷ビル（旧大和生命ビル）のエントランス、築地はとば公園、町田市芹ヶ谷公園、広島市文化交流館などでみることができる。

また、東京都庁舎前にある都民広場には、《my sky hole 91 Tokyo》（写真43）が展示されている。この作品は巨大な2本のカーブした鋼で作られた作品だ。

なお、井上は、神奈川県箱根町にある箱根彫刻の森美術館の本館ギャラリーや、静岡県伊東市にある池田20世紀美術館などの設計、さらには奈良県室尾《むろう》市にある道の駅「道の駅 宇陀《うだ》路室生《じむろう》」のトータルデザインを手掛けるなどマルチな才能を発揮したことでも知られる。
宇陀路室生の近くにある「室尾山上公園芸術の森」は、井上が空間建設を予定していたものの急逝したため、友人のイスラエル人芸術家、ダニ・カラヴァンがその構想を引き継ぎ２００６年に完成させている。より深く井上を知りたいときは訪れてみよう。

（東京都台東区東京都美術館）

41：同前（部分）（著者撮影）／上の穴から中の様子を覗き込む人が多い。

42：同前（部分）（著者撮影）／あえて下の穴から上を見上げるのもおもしろい。

43：井上武吉《my sky hole 91 Tokyo》1991（著者撮影）／直線の多い丹下健三建築に朱色でアクセントを添える巨大な作品。

44：猪熊弦一郎《自由》1951（著者撮影）

3 自由

猪熊弦一郎　1951年

マティスの弟子が描く

東京の主要駅、JR上野駅の中央改札口の上部には巨大な壁画《自由》（写真44）が掲げられている。その巨大さのわりにはあまり気付かれていないこの作品の作者は、日本を代表する画家、猪熊弦一郎《いのくまげんいちろう》（1902～1993）。1951年に描かれ、上野駅とともに70年以上の時を過ごしてきた。上野駅内にはこの作品のほか、中央改札口前のグランドコンコース券売機上に平山郁夫《ふる里日本の華》（写真46）、同じくグランドコンコース内に朝倉文夫《翼の像》（写真45）、《三相》（1958年）なども設置されている。

猪熊は、若いうちから画家として頭角を現し、35歳で渡仏。マティスに指導を受けるなど最先端の芸術を吸収し、順調にキャリアを積み重ねていたものの、第二次世界大戦が勃発。志半ばで帰国し、従軍画家として戦地へ赴くという、当時の画家達の多くが選ばざるをえなかった活動を行うなか終戦を迎える。戦後の猪熊は、雑誌の表紙絵や挿絵を手掛けるほか、慶應義塾大学学生ホール壁画《デモクラシー》（1949年）など、社会との関わりのなかで多くの作品を残した。

東北へのあこがれ

そんな猪熊に声をかけたのが宣弘社《せんこうしゃ》の社長、小林利雄だ。もともと宣弘社は屋外広告を得意とする広告代理店。焼け野原になった東京を少しでも明るくしたいと、銀座や上野など当時の繁華街のビルというビルをネオンサインの広告で埋め尽していった。その利益を元手として『月光仮面』や『快傑ハリマオ』、『シルバー仮面』などのテレビ映画を制作し大ヒットを飛ばしていたことでも知られている。第二次世界大戦終戦後、上野駅は空襲で焼け出された浮浪児や戦争孤児らが千人以上集まり、戦争の傷跡がむき出しのままであった。そんな上野駅のイメージを明るくしたいと、小林は上野駅に壁画を制作することを提案。服部時計店や資生堂などをスポンサーに、発案から3年の月日を経てこの壁画を完成させた。上野動物園にパンダがやってくるはるか前に描かれた作品ゆえ、現在の上野にありがちな余白があればパンダを突っ込んでくるムードは全くなく、当時の上野駅が東北の玄関口だったことにちなみ、スキーや牛、りんごや温泉など東北の産物や風景をモチーフにした世界が広がってい

45（右）：朝倉文夫《翼の像》1958（著者撮影）／朝倉文夫のアトリエ兼住居は上野にも近い谷中にあり、現在は朝倉彫塑館として朝倉の作品を展示している。
46（左）：平山郁夫《ふる里日本の華》1985（著者撮影）／東北・上越新幹線開業にちなんだ作品、東京から青森までの風物が扇に描かれている。

る。そして人物の伸びやかな表情やフォルムは、マティスの影響をたっぷりと受けていることがわかる。猪熊はこの作品制作後の1955年に渡米、約20年間をニューヨークで過ごし、以後は抽象画家として活躍した。

　ちなみに、猪熊は三越の包装紙「華ひらく」をデザインしたことでも知られている。この包装紙は《自由》の前年の1950年にデザインされたもの。海岸で波に現れる石をみて、その造形美や、波にも負けず頑固で強いことをテーマにデザインしたという。鮮やかなスキャパレリレッドでデザインされた模様に、当時三越宣伝部の社員で、後に「アンパンマン」を生み出すやなせたかし（1919〜2013）が「mitsukoshi」の文字を書き入れた。だれもが知っている場所にさりげなく存在しているのが、猪熊弦一郎なのだ。

（東京都台東区JR上野駅中央改札口）

47：ナムジュン・パイク《Fuku/Luck,Fuku=Luck,Matrix》2021/1996（提供：キャナルシティ博多©YSK）／1996年当時の最先端の技術、表現が濃縮された大作。メディアアートは機械の故障もあるのでみられるうちにみておきたい。

4

Fuku/Luck,Fuku=Luck,Matrix
ナムジュン・パイク　1996年／2021年

ヴィデオアートの名作が博多に

福岡市博多区にある「キャナルシティ博多」は、1996年にオープンした大型複合商業施設。約4万3500㎡の敷地内には180mに及ぶ運河（キャナル）が流れ、ダイナミックな噴水ショーが頻繁に開催されている賑わいの場所だ。

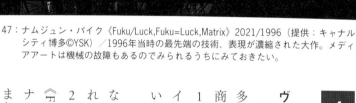

このキャナルシティ博多のシンボルともなっているのが、アトリウム南側に設置されているナムジュン・パイク（1932〜2006）による巨大なパブリックアート《Fuku/Luck,Fuku=Luck,Matrix》（写真47）だ。

ナムジュン・パイクは1932年に韓国に生まれた前衛芸術家。作曲家、デザイナー、詩人による国際的なネットワーク「フルクサス」の中心メンバーとして、日本やドイツ、アメリカで活動したヴィデオアートの先駆者として知られている。近年、パイクの妻、久保田成子《くぼたしげこ》（1937〜2015）も大規模な回顧展が開かれるなど、作品や活動にも注目が集まっている。本作品は、縦に10台、横に18台、合計180台ものテレビモニターが並ぶ、日本にあるパイクの作品では最大のもの。そのモニターにはパイクが選んだ当時最先端3DCGや福岡の伝統芸能の映像、テレビ番組などが多彩なイメージや情報の断片としてめまぐるしく映し出されている。

本作品は1996年のキャナルシティ博多オープンと同時に披露され、長らく好評を博していた。しかし、年月の経過とともに、映像を制御するコントローラーが故障。そして作品を構成しているブラウン管モニターも次々に故障。2014年にはブラウン管モニターの新規調達ができなくなり、新品と交換することすら不可能になってしまった。そして、2019年に消灯、韓国へ修復のために輸送された。

キャナルシティ側は映像の放映停止前から、映像をフルデジタル化し、液晶ディスプレイを使用して作品を再現する可能性も模索した。しかしパイク作品のオリジナル性を尊重し、修理できるものは修理し、修理できないものは中古市場で同型のブラウン管モニターを集めて入れ替えることとした。この中古の入れ替えやコントローラーの再製作などを行い、2021年8月、ようやく映像の上映ができることとなった。ただし、修理・交換したものも寿命が長いとはいえないだろう。できることなら早めにみにいってほしい。

メディアアートを展示しつづける難しさ

電子機器を使用した作品や、特定のソフトウェア、プログラムを利用するメディアアート作品は、機械の故障やソフトウェアの更新停止などで、十分な鑑賞ができなくなる場合が多々ある。品川区にある複合施設、大崎ニューシティには、前衛芸術グループ「実験工房」で活躍し、メディアアートの先駆者として知られたアーティスト山口勝弘（1928〜2018）の《三重奏》（1986年）がパブリックアートとして展示されている。ピラミッド状の三角錐と円柱を組み合わせた立体のなかにモニターがはめ込まれたこの作品は、かつては映像が流されていたようだが、現在は電源が入っておらず、物静かな状態でだれからも見向きもされず佇んでいる。遠くからみるととても暗く、さみしげだ。この状態はなんとかならないものだろうか？

ブラウン管だけでなく、近年はロボット、CDプレーヤー、LDプレーヤーのように、再生機器が入手しにくくなっている作品、FLASHなどサポートが終了してしまったプログラムを使った作品は、機器やプログラムが壊れてしまった瞬間に作品生命が絶たれてしまう。現代美術の大きな問題点に、パブリックアートもまた巻き込まれているのだ。

（福岡県福岡市博多区キャナルシティ博多）

48：レベッカ・ベルモア《私は太陽を待つ》1994（著者撮影）／太陽の光が当たることで、ようやく作品は完全な形になる。

5 私は太陽を待つ

レベッカ・ベルモア　1994年

年にいちどしか完成形がみられない？

世界中にパブリックアートは数あれど、年にいちど、しかも晴天の日にしか完全な状態を見ることができない作品は他に例がないだろう。それはファーレ立川にある《私は太陽を待つ》（写真48、49、50）カナダ先住民アニシナベの作家レベッカ・ベルモア（1960〜）の作品だ。

本作品は、車止めと建物の2カ所に金属のプレートが設置されている。車止めのプレートにはカナダ先住民の言語アニシナベ語で、建物のプレートには日本語でそれぞれ「私は太陽を待つ」と刻まれている。車止めのプレートは太陽の光を反射し、建物へ向けてその光を投射させるのだが、毎年1回、夏至の正午のみ、この光が建物に取り付けられたプレートと重なり合うのだ。

ベルモアはフランス系カナダ人として教育を受け、英語とフランス語を母語としている。しかし彼女の祖母はカナダの近代化を頑なに拒み、アニシナベ語だけで日常生活を続けている。このため、作家と祖母は言葉がまったく通じない。このことから作家は自分の民族的背景に興味関心を持ちはじめ、アニシナベの文化的要素を表現に取り入れた表現をはじめた。本作品もプレートの光が重なることでふたつの世界が重なり合い、響き合い、異なる世界がつながり合うことを示そうとしている。

ただし、日本では夏至は梅雨の時期と重なるため、本作品がアーティストの狙いどおりの光の重なり合い方をするのは2〜3年に1回程度の割合だという。筆者が訪れた夏至の日も、あいにくの薄曇りで光が重なり合う瞬間を見ることはかなわなかったが（写真51）、作品の前には大勢の人が集まっており、街のなかで見慣れてしまい、ときには忘れられがちなパブリックアートとは対極をなしていた。

49：同前（部分）（著者撮影）／建物と車止め、２つの金属プレートで作品は構成されている。

パブリックアートの聖地、ファーレ立川

前章で触れたとおり、このほかにもファーレ立川には、広大なエリアに１０９もの芸術作品を取り入れたパブリック

50：同前（部分）（著者撮影）／アニシナベ語の金属プレート。

51：同前（部分）（著者撮影）／2022年の夏至の日。作品の前には多くの人が集まった。

アートの世界の金字塔。ドナルド・ジャッドにジョセフ・コスース、アニッシュ・カプーア、宮島達男に篠原有司男《しのはらうしお》……と、すでに著名だった芸術家のものから、約30年の間にみるみる知名度を上げた芸術家のものまでさまざまな作品がある。

　これらの作品はベンチや歩道橋、街灯といった都市の機能を組み込んでいるものが多く、街とアートが溶け込み街全体が野外美術館として楽しめる。

　ファーレ立川はパブリックアート全１０９点を鑑賞したいという人のために、無料の「ファーレアートマップ」を用意するほか、スマホアプリ「ファーレ立川アートナビ」なども公開している。また、１９９７年に設立された市民によるボランティア団体「ファーレ倶楽部」による見学ツアーが不定期で開催されており、住民のパブリックアート愛が他所よりも濃厚だ。近年、たてつづけに美術館も開館し、アートの街に変貌した立川をぜひ訪れてみよう。

（東京都立川市ファーレ立川）

52：矢橋六郎《緑の散歩》1965（著者撮影）／階段の踊り場は全景をおさめた写真が撮りにくい場所。広がりのある壁面を現地で見てほしい。

6 緑の散歩

矢橋六郎　1965年

日本のモザイク画の代表作

戦後パブリックアートの歴史について前章で説明した。この歴史の流れに乗ることなく、独自に発展、花開いていた分野がある、「モザイク壁画」だ。有楽町駅前の東京交通会館にある矢橋六郎《やはしろくろう》（１９０５〜１９８８）のモザイク壁画《緑の散歩》（写真52）は、そんな壁画のパブリックアートにおける、代表例のひとつだ。

現代の日本におけるパブリックアートとしてのモザイク壁画の歴史は１００年前、しかも遠い地メキシコまで遡る。１９２０年代、革命下のメキシコでは、民族のアイデンティティやメキシコの歴史について、文字が読めない民衆のために巨大な壁画で伝えようとする「メキシコ壁画運動」がおこった。ディエゴ・リベラ（1886〜1957）や、シケイロス（1896〜1974）らが先導したこの運動はアメリカにも伝播しパブリックアートの卵となった「連邦美術計画」にも影響を与える。ちなみに、メキシコの壁画制作は1950〜1960年代がピーク。岡本太郎が《明日の神話》（68頁）を制作していたのもまさにこの時期だ。

実は日本はモザイク画が充実

日本ではもともと伊奈製陶（現 LIXIL）が1910年代よりモザイク用の極小タイルを開発・販売していた。愛知県常滑地区や岐阜県多賀市笠原（旧笠原町）などにもモザイクタイルの製造業者が増え、それにともないモザイク壁画をほどこした建物も増えていく。1934年に竣工し、国の重要文化財に指定されている銀座ライオンビルの店内の壁画も、国産のガラスモザイクを使用したものだ。

戦後、伊奈製陶は岡本太郎や東郷青児《とうごうせいじ》（1899〜1978）ら著名な画家の原画によるモザイクタイルの装飾パターンを次々に発表。デパートや公共施設のロビー、ホテルの大浴場などに次々に納品する。芸術家を起用した商品開発の背景には、連邦美術計画の壁画制作の影響があったと考えられているが、日本では独特のモザイクタイル壁画とパブリックアートが結びつき、独自に発展を遂げた。

1960年代、メキシコ壁画運動に参画し、帰国後は瀬戸で活動をしていた北川民次《きたがわたみじ》

（1894〜1989）や、前述の矢橋六郎ら芸術家が巨大な作品を次々と発表。ちなみに、矢橋は洋画家でありつつ、岐阜で代々続く矢橋大理石商店（現 矢場市大理石）の副社長。原料の輸入から加工、施工まですべて自前でできてしまうというすばらしい環境も整えていた。加えて、村野藤吾ら当時の売れっ子建築家らがモザイクタイルがお気に入りだったこともあり、モザイクタイル壁画は全国各地へと広がっていったのだ。

《緑の散歩》は、矢橋六郎の制作したモザイクタイル壁画のなかでも最大級の作品。希少な大理石や、磁器タイル、ズマルト（イタリア製モザイクガラス）をたっぷりと使っており、完成から50年以上が経過しているのにもかかわらず、色は鮮やかなまま。みる高さや向きによって作品の表情がガラリと変わる。まずは東京交通会館の1階廊下から見上げるかたちで作品全体をみて、その後、階段を上り、踊り場で石の輝きを間近でみる。これを繰り返して3階までのぼってみよう。

矢橋のモザイク壁画は東京交通会館のほか、有楽町電気ビルヂングの地下1階や、建て替えが決まっている国際ビルヂングのエレベーターホール、そして日比谷駅の地下通路など、有楽町界隈に集中している。時間をかけて「モザイク散歩」してみるのもおすすめだ。

（東京都千代田区東京交通会館階段踊り場）

53：ロバート・インディアナ《LOVE》1995（著者撮影）／「V」と「E」の間を身体を触れずに通り抜けると恋が実るという都市伝説もある。

7 LOVE
ロバート・インディアナ　1995年

ポップなLOVE像のメッセージとは

高層ビルが建ち並ぶ西新宿の交差点で目を引く鮮やかな「LOVE」の文字は、アメリカの現代美術家、ロバート・インディアナ（1928〜2018）の作品《LOVE》（写真53）だ。前章（58頁〜）でも触れたとおり、本作は新宿アイランドと西新宿のシンボル的存在となっている。

インディアナは広告サインや交通標識、会社のロゴといった多くの人になじみのある意匠を元にドローイングを描くポップアート作家だ。子ども時代に教会でみた聖句「GOD IS LOVE（神は愛なり）」にインスパイアを受け、1960年代よりこのフレーズを派生させた作品を発表してきた。当時のアメリカはベトナム戦争への反対運動や公民権運動から生まれたヒッピー文化の全盛期。「LOVE & PEACE」が提唱されたこの時代とみごとに共鳴していた。

本作はもともと、1964年にニューヨーク近代美術館（MoMA）のクリスマスカードの図案として描かれたもので、1970年に立体化し、インディアナポリス美術館を皮切りに世界各国に配置されるようになっていく。

LOVE像は日本にもうひとつ存在する？

本作品は、とにかくわかりやすいことが特徴だ。赤、緑、青の配色は、インディアナの父親が勤めていたガソリンスタンドの看板と、故郷インディアナ州の青空の色からとったものだ。グレーと白を基調とした建物の前に置かれることで、遠くからでも非常に目をひいている。作品は新宿駅方面に正面を向けており、駅からやってきた人が遠くからでも作品の存在を認識できる。

さらに、「LOVE」という、小学生でも意味がわかる単語であることもわかりやすい。現代美術はわかりにくいといわれるが、この作品に関しては見えた文字をそのまま読めば作者の意図が想像できる。駅前にある多くのパブリックアートは、残念ながら風景のなかに埋没しているが、この作品だけは風景に溶けこむことなく、新宿の街で「浮いた」存在のままだ。だからこそずっと愛されつづけているのだろう。

ちなみに、新宿アイランドに配置された10点のうち、この作品以外はすべて抽象的な立体作品だ。アメリカン・コミックを絵画にしたことで知られるポップアートの巨匠、ロイ・リキテンスタインの作品《Tokyo Brushstroke I, II》でさえ抽象彫刻。どの作品も素晴らしいものの、《LOVE》のわかりやすさがより際立っている。

そして、ロバート・インディアナの《LOVE》は、じつは日本にもう一体存在する。千葉県稲毛区、京成電鉄千葉線みどり台駅の近くにあるロータリーにひっそりと佇んでいる。

この作品は、２０１４年に現代芸術振興財団が千葉市に寄贈したもの。株式会社ＺＯＺＯの創業者で、実業家の前澤友作が財団を創設し、現代美術の普及活動などを精力的に行っている。みどり台駅は、ＺＯＺＯ本社の最寄り駅である。この場所に作品が設置されたのは、前澤氏の千葉愛ゆえ。設置に際して、財団は千葉市や地元の自治会と何度も交渉を重ねて同意を得たという。

異なるシチュエーションにあるふたつの《LOVE》の見え方や印象がどう変わるのか、実際に足を運んで見比べてみてほしい。

（東京都新宿区新宿アイランド）

54：イサム・ノグチ《モエレ山》2005（提供：モエレ沼公園）

8

モエレ沼公園

イサム・ノグチ　2005年

イサム・ノグチが大地に残した巨大な「彫刻」

札幌駅から公共交通機関で約50分の場所にあるモエレ沼公園は、約1・89㎢の広大な公園。美しい山や池、森があり、遊具も豊富だ。なんとここは公園全体が日系アメリカ人彫刻家、イサム・ノグチ（1904～1988）による巨大な彫刻作品なのだ。グーグル・アースを使ってモエレ沼公園をみてみると、広大な敷地に幾何学的な模様をみつけることができる。

英文学者で詩人の野口米次郎と、教師で編集者のレオニー・ギルモアとの間に生まれたノググチは、日本やパリ、ニューヨークなど世界中を飛び回った。彫刻やモニュメントにとどまらずあらゆる分野で活躍。やがて、住環境や生活環境へ興味と関心の領域を広げていく。この過程でノグチは子ども達のために彫刻と遊具や広場の造形を一体にした楽園のような遊び場「プレイグラウンド」を構想。1965年に神奈川県横浜市の「こどもの国」内に第一号の「プレイグラウンド」を制作し、遊具彫刻も次々と制作し、香川県高松市の山椒山公園や北海道札幌市の大通公園など全国各地に現在も設置されている。現在もイサム・ノグチ日本財団によって全国各地に遊具彫刻の設置が進んでいるという。

そんなノグチがさらに大規模な「プレイグラウンド」をつくりたいと場所を探していたところ、めぐりあったのが造成途中だったモエレ沼公園だった。当時のモエレ沼内陸部は、ゴミ処理場として利用されており、1982年より公園として再生するために工事が行われていた。ノグチはこの話を現地の実業家から聞きつけ、1988年の3月に訪問、この地に自身の作品をつくることを決め、わずか8カ月という短い期間でマスタープランを制作する。1988年11月のノグチの誕生パーティーで2000分の1の模型が披露された。しかし、ノグチは病気のためその年の12月に急逝してしまう。

ノグチはいなくなってしまったものの、残されたスタッフは彼の遺志を継承し、工事を続行。2005年にようやく竣工の運びとなった。1982年の着工から23年、ノグチのマスタープラン発表から17年の月日が経っていた。

ノグチとメキシコ壁画運動との意外な接点

20年以上の年月を経てつくられたということもあり、みどころは多岐にわたる。公園最大の造形物は、不燃ゴミや残土から成型された《モエレ山》（写真54）。自然界にはけっして存在しない美しい二等辺三角形の山で、標高は62・4m。ふもとから登るだけでも10分はかかるが、山頂の展望台は札幌市内まで見渡せる絶景スポットだ。なお、この展望台の幅はイサム・ノグチの生誕100年の年、2004年にちなんで2004㎝となっている。このほかにも陽の光によって表面の輝き方が変わる「テトラマウンド」や、イサム・ノグチの遊具彫刻が126基も並ぶ「サクラの森」のほか、1日に3～4回、激しく水が波打つショープログラムを見せてくれる「海の噴水」などスペクタクル要素のある施設も多い。ふらっと行って見るのではなく、1日堪能する気持ちで訪れたい。

ノグチはストイックな作風とはうらはらに、恋多き人。日本では女優の山口淑子（李香蘭）と結婚していたことで知られているが、メキシコに滞在していたときは、画家のフリーダ・カーロと恋愛関係になっていた。しかし、フリーダの夫で画家のディエゴ・リベラにみつかってしまい、拳銃を突きつけられて窓から逃げ出してしまったと伝えられている。ディエゴ・リベラといえば、メキシコ壁画運動を牽引し、アメリカの連邦美術計画に大きな影響を与えた芸術家。リベラが種を撒いたパブリックアートをノグチが大展開させたという因縁に、天国のフリーダ・カーロはなにを思うのであろうか。

（北海道札幌市東区）

55：岡本太郎《太陽の塔》1970（提供：大阪府）／巨大でインパクトある姿は、内部空間や後ろ側もじっくりと鑑賞してほしい。

9 太陽の塔

岡本太郎　1970年

当初の計画をぶちぬく「べラボーなもの」

日本で最も有名なパブリックアート《太陽の塔》（写真55）は作者の岡本太郎とセットで人々の記憶に刻みつけられている。1970年に開催された日本万国博覧会のテーマ館の一部として建造された。塔の高さは約70m、広げた両腕の長さは約25mにも及ぶ。

《太陽の塔》が設置されたのは、大阪万博会場の中心地だった「お祭り広場」だ。ここに、建築家の丹下健三は広場をすっぽりと覆う「大屋根」を設計。大阪万博のテーマである「人類の調和と進歩」を象徴するシンボリックな建造物とする予定であった。しかし、太郎は大阪万博のテーマ館プロデューサーを引き受けておいてこのテーマを真っ向から否定。「ベラボーなものをつくる」と、丹下設計の洗練された大屋根と対極をなす有機的なフォルムの塔を大屋根の天井に穴を開け、配置することを強く主張する。丹下の設計はかなり具体的に進んでいたため、それなりに大きく揉めたものの、太郎の意見が通り、《太陽の塔》が生まれることとなった。

大きく手を広げた姿はカラスから？

造形に注目してみてみよう。大きく腕を広げているポーズについて、岡本敏子（69頁）は、太郎がかつて「太陽の塔？　あれはカラスだよ」と語っていた、とエッセイに記している。その真実は定かではないが、太郎はペットとしてカラスを飼育し、強い愛情を注いでいたようだ。また、太郎が残した構想スケッチによると、《太陽の塔》は、初期段階では5大陸を象徴した5本構成だったが、途中で1本に集約され、生命力を感じさせる現在の形となった。地上にある3つある顔のうち、塔の頂部にある黄金の顔は未来を、正面胴体の太陽の顔は現在を、背面にある黒い太陽は過去を表している。黄金の顔はガラス繊維強化プラスチック（FRP）製、太陽の顔は粉砕した硬質ウレタン製、黒い太陽はタイルと、それぞれ異なる素材でつくられ、胴体の吹付けコンクリートとの素材の違いにより、いっそう目立ったものとなっている。

《太陽の塔》には地下空間もあり、大阪万博開催時は「地底の太陽」と名付けられた高さ約

3m、全長約11mにもなる巨大な第四の顔も存在していた。しかし、大阪万博閉幕後に撤去され、その後の行方は現在もわからないままだ。

塔の内部は、大阪万博開催時はエスカレーターが設置され、地下展示と空中展示をつなぐ動線の役割もはたしていた。内部の中心には「生命の樹」と呼ばれる高さ約41mのモニュメントが中心にそびえている。「生命の樹」はアメーバから魚介類、恐竜、ゴリラなど大小さまざまな生物模型群が下から上に進化の過程にそって取り付けられており、来場者はエスカレーターで上がりながら生命の進化の過程を体感し、その後に会場をめぐる流れになっていた。

当初は万博閉幕後に撤去予定だったが、存続を希望する署名運動が行われるなど多くの人々の支持を集め、万博建造物としては異例の永久保存が決定。2018年より、「生命の樹」「地底の太陽」を再生・復元し、内部も一般公開されるようになった（予約優先）。

岡本太郎は、自作を売らないことでも知られており、芸術を市民で共有できるパブリックアートを発表することに非常に熱心だった。このため、《太陽の塔》や《明日の神話》（68頁）のほか、中央区の数寄屋橋公園、港区青山の旧こどもの城、千葉県船橋市のふなばしアンデルセン公園、浦安市運動公園をはじめ、全国約70カ所で岡本太郎のパブリックアートを現在もみることができる。

（大阪府吹田市万博記念公園）

56：舟越桂《私は街を飛ぶ》2022（提供：三菱地所・彫刻の森芸術文化財団）／木彫で知られる舟越桂による初めての着彩したブロンズ作品。

10 丸の内ストリートギャラリー

都会の一等地にある野外美術館

パブリックアートをいくつもまとめてみてみたいときは丸の内仲通りに行くのがおすすめだ。なぜならば「丸の内ストリートギャラリー」があるから。その名のとおり、2023年現在、国内外のアーティストによる19点の作品が通りやオフィスに展示されている。近年、ギャラリーは仲通りをとびだし、丸の内オアゾ前や大手町ビルヂングの中にも広がっている。

そもそも、丸の内は明治時代に、当時の三菱社が国から一括で払い下げを受け、長い時間をかけて開発しつづけ

57：イゴール・ミトライ《眠れる頭像》1983（提供：三菱地所・彫刻の森芸術文化財団）／大理石で表現された包帯の質感に注目。

てきたエリアだ。ちなみに、丸の内で最初につくられた洋風事務所は日本政府が招聘した英国人建築家、ジョサイア・コンドルによって1894年に竣工した「三菱一号館」。この建物は復元され現在は「三菱一号館美術館」となっている。当時の丸の内の街並みは、ロンドンを参考に計画されており、その優雅な雰囲気は「一丁倫敦《いっちょうろんどん》」と呼ばれていた。

時は一気に流れ、高度経済成長期に入るとエリア全体をマネジメントする三菱地所は、丸の内を本格的、かつ近代的なビジネスセンターに再整備する「丸ノ内総合改造計画」を1959年に策定。現在の大型オフィスビルを次々に建設し、それまで走っていた2本の私道を仲通りに一本化、道幅を全体で21m、中央の車道は幅7m、両サイド歩道の幅もそれぞれ7mとし、街路樹や花壇を設置して、歩行者にはとても過ごしやすい、散歩せずにはいられない場所につくり変えた。

58：草間彌生《われは南瓜》2013（提供：三菱地所・彫刻の森芸術文化財団）／直島の《南瓜》とは趣きが異なるが、ひと目で草間作品だとわかる。

作品が定期的に入れ替えられる新しい試み

しかし、当時の丸の内は現在とは異なり、純度の高いビジネス街。通りに面したビル1階には銀行が連なり、15時をすぎると一斉にシャッターが降り、一気に雰囲気が暗くなってしまっていた。夜や休日は人がおらず、東京の一等地とは思えないほど閑散とした街だった。そんな街の雰囲気を少しでも明るくしようと考えだされたのが「丸の内ストリートギャラリー」だった。約2000点の作品を所蔵する「彫刻の森美術館」を有する彫刻の森芸術文化財団の協力のもと、1972年から仲通りに彫刻作品を展示。地方自治体による「彫刻のあるまちづくり」（46頁）よりも先駆けて行われたプロジェクトであった。ちなみにストリートギャラリーは数年にいちどの割合で作品を入れ替えているため、作品に目が慣れてしまい彫刻が風景に溶け込んでしまうこともあまりない。数体のブロンズ作品から始まったこのプロジェクトは、2022年で50周年を迎えた。

なお、現在の華やかな丸の内が生まれたのは1998年以降のこと。三菱地所が新たな価値を創出する賑わいのあるまちづくりを企図し、これまで銀行などが入居していたオフィスビルの1階に、レストランやショップといった商業店舗の入居を受け入れるよう方針で定めた。この戦略が功を奏し、現在の丸の内は夜も休日も人が行き交う大人の街に大変身した。雰囲気に合わせ丸の内ストリートギャラリーの作品もイゴール・ミトライの《眠れる頭像》（写真57）のような彫刻の森美術館のコレクションに加え、アーティストが丸の内ストリートギャラリーのために制作した作品も展示するようになった。

たとえば、現在展示されている舟越桂《ふなこしかつら》《私は街を飛ぶ》（写真56）は、丸の内ストリートギャラリーの依頼で制作したオリジナルの作品。草間彌生《われは南瓜》（写真58）も、彼女の初めての石彫彫刻だという。このほか、名和晃平や中谷ミチコなど人気のアーティストも作品を展示しており、東京の新しいアートスポットとして注目を集めている。

丸の内仲通りは端から端まで歩くと約1・2㎞。のんびり散歩しながら19点の作品をみて歩いても1時間くらいですべてを鑑賞できる。また、疲れたら近くにあるカフェで休憩もできる。仕事の合間に、のんびりしたい休日に、大都会にある無料の野外美術館として訪れたい。

（東京都千代田区丸の内）

59：黒川晃彦《リバーサイドトリオ》1992（著者撮影）／ズボンからはみ出した、たぷたぷのぜいにくがたまらない。

11 リバーサイドトリオ
黒川晃彦　1992年

裸でサックス吹くおじさん＝「黒川さん」

残念なことに、多くの人にあまりみてもらえないパブリックアートであるが、サブカルチャー好きの人々にだけ抜群に知名度が高い作家がいる。黒川晃彦《くろかわあきひこ》がその人だ。

黒川はブロンズの人物像で知られる彫刻家で、恰幅の良いおじさんが全裸、ときには半裸でサックスを吹いているという、不思議なシチュエーションの作品を数多く発表している。それらの作品は北海道から九州まで全国に散らばっているのだ。

「裸サックス　黒川」で検索をかけてみよう。SNSやブログで、黒川晃彦作品への愛、親しみを語っている人達がたくさんいる。彼の作品をみるために全国各地を訪問する人や、作品リストをグーグル・マップで公開する人もいる。すでに黒川晃彦の世界はちょっとしたファンダムになりかけている。

この黒川晃彦の人気に火をつけたのは、漫画家のみうらじゅん。みうらは、全国各地で黒川の作品を目にすることが偶然重なり、その謎の魅力に取りつかれ、「マイブーム」が到来。テレビや雑誌などあらゆるメディアを駆使して「黒川推し」をはじめ、2007年には黒川晃彦に「第10回みうらじゅん賞」をあたえるほどになった。みうらじゅん賞とは1994年から現在まで続くみうらじゅんが独断で与える賞で、これまでにボブ・ディランやダニエル・クレイグ、タモリや熊田曜子、土門拳、ピカソや、わさお（秋田犬）、黄色い帽子のおじさん（アニメ『おさるのジョージ』に出てくる全身が黄色いおじさん）らが受賞している、サブカルチャー好きにだけとても権威のある賞だ。

「黒川さん」だけでなく、すまし顔のバンドメンバーも注目

そんな黒川の作品は東京都内にも数多くある。そのなかでも、JR田町駅から徒歩5分の新芝運河にある《リバーサイドトリオ》（写真59）は、ふくよかな半裸にサスペンダー姿のサックスおじさん、フルートを吹く少女、半裸でトランペットを吹く青年の3人をいっぺんにみることができるぜいたくな作品だ。この作品のすばらしいところは、なんといってもサックスのおじさん。ベルトの上にのった浮き輪のようなたるんだお肉も、ムキムキの二の腕も

よいが、なんといっても頭の上に巨大な鳩が座っているところがたまらない。普通の人間であれば、頭の上に鳩が乗ったらなんらかの驚きを見せるはずだが、おじさんに関しては涼しい顔でサックスを吹いており、まったく動揺を感じさせない。横にいるふたりの凛とした姿からは、黒川がぽっちゃりしたおじさんだけでなく、さまざまな表現に長けていることも見て取れる。ふたりはおじさんの頭の上に鳩が乗っていることに気が付かないのか、無視しているのか分からないが、まったく気にせず演奏に没頭している。このシュールなシチュエーションもまたおもしろい。

なお、この《リバーサイドトリオ》の周囲には10基のガス燈があり、夕暮れになると自動的に点火される。ガス燈の光に照らされるサックスおじさんのおなかもまた雰囲気が出て美しい。

黒川作品はウェブサイトで設置されている場所リストをみることができるが、すでに撤去されているものがある。丸の内仲通りの「丸の内ストリートギャラリー」（95頁）に、2011年から2013年の間、黒川晃彦の作品が配置されていたことがあったのだ。けれども「赴任期間」を終えて箱根彫刻の森に帰ってしまった。そう、パブリックアートとはいえど永遠にみられるものではないものもある。みたい、会いたいと思ったらその足で訪れてみてほしい。

（東京都港区新芝運河）

60：フィリップ・スタルク《金の炎》1980（提供：アサヒグループホールディングス）

12

金の炎

フィリップ・スタルク　1989年

これは「アサヒビールの燃える心」

江戸時代から続く東京の観光地、浅草。雷門や浅草寺のある中心部を背に、隅田川方面をみると、不思議な形のオブジェが目に飛び込んでくる。フランス出身の世界的デザイナー、フィリップ・スタルク（1949〜）による長さ44m、重さ360トンの《金の炎》（写真60）だ。

《金の炎》に隣接する金色のビルはアサヒビールタワーといい、その名の通りアサヒビールの本社ビル。金色の鏡面ガラスと上層部の白い部分で泡立つビールを表している。そして《金の炎》は「新世紀に向かって飛躍するアサヒビールの燃える心」を表しているものだという。けっして、巨大なうんこでも枝豆でもないというのがアサヒビールの公式見解だ。

ちなみに、《金の炎》がつくられたときのアサヒビール社長、樋口広太郎（1926〜2012）は2001年の日本経済新聞の「私の履歴書」で、《金の炎》について「当初の構想では、炎がビルを貫くような形に建てるつもりだったのですが、構造上問題があってできなかった」「垂直に立てるつもりが、ごろんと寝てしまった」と語っている。

アサヒスーパードライのヒットが社の窮地を救う

この《金の炎》とアサヒビールタワーが建っているのは、かつてはアサヒビール吾妻橋工場があった場所だ。1889年創業のアサヒビールは、当初、日本のビール市場占有率2位を維持していたが、1960年以降徐々にシェアが低下。1980年代には4位となり、「夕日ビール」などと揶揄されるほど業績が低迷してしまう。

吾妻橋工場も閉鎖、アサヒビールは土地を手放すこととなったのだが、1987年に発売した「アサヒスーパードライ」が爆発的な大ヒット。売却した跡地の一部を住宅・都市整備公団（現UR都市機構）からを買い戻せるまでに業績が回復した（残りの土地は住宅・都市整備公団がリバーピア吾妻橋として開発を行っている）。そして1989年、アサヒビールは創業100周年を記念し、アサヒビールタワー、そして《金の炎》を建設した。100周年の意味を込め、アサヒビールタワーの高さは100mとなっている。

デザインしたのは仏の国際的デザイナー

この《金の炎》をデザインした、フィリップ・スタルクは、家具や食器、インテリアや建築などさまざまな分野のデザインを手掛けており、ニューヨーク近代美術館など世界のデザインミュージアムに作品が収蔵されている。すぐにでもスタルクのほかの作品がみたい場合は、《金の炎》の真下にあるビアレストラン「フラムドール（フランス語で金の炎）」に行ってみよう。スタルクが内装や家具を手掛けており、古き良き80年代後半の伸びやかなデザイン全盛期の時代を存分に感じることができる。特に目を見張るのがトイレ。バブル時代は用を足すだけでこんなにゴージャスな気分になっていたのかと感動を覚えるほどだ。さらに、アサヒビール各商品のほかチェコで生まれた元祖ピルスナー「ピルスナーウルケル」を生で飲める。ビール好きにはたまらない場所だ。

《金の炎》は、シンプルな形状ながら複雑な工程でつくられている。スタルクが描いた炎がたなびくイラストを、建築家の野沢誠が図面に落とし込んだ。その過程で従来の手法ではスタルクのイメージとおりの作り込みが困難であることが判明。そこで、川崎重工業と子会社である川重マリンエンジニアリングが得意の溶接技術で《金の炎》の工法の考案も含めて制作を担当することとなった。そして、《金の炎》には船や橋をつくる技術が応用され、神戸で数十個の金属パーツを製造、それを丁寧に溶接してあの姿が生み出された。同じようなものをつくろうと思っても、かなりの資金とテクニック、知恵が必要なのだ。この作品は高所にあるゆえ、間近でみることは非常に難しいけれど（首都高速6号向島線を走行中に近い距離でみることができるが、運転中の鑑賞は安全のためおすすめしない）、はみ出した部分は真下から鑑賞でき、肉眼でも溶接されたと思われる部分がほのかに凹み、縞状になっていることが確認できる。遠くから眺めがちな《金の炎》であるが、一度近いところからもみてほしい。

また、《金の炎》は細かい気配りに富んだ作品でもある。炎の下の黒い台形部分は聖火台を模したもので、黒御影石製。炎の先端の十数メートルが下の台からはみ出しているが、そのはみ出た部分にはヒーターが内蔵され、冬につららが落下しないような対策がとられている。《金の炎》が生まれて30年以上が経過し、すでに浅草のシンボルのひとつとなっている。いろいろなあだ名がつけられがちだが、それだけ親しまれているということなのだろう。

（東京都墨田区吾妻橋）

61：安田侃《妙夢》2006（著者撮影）／大人も子どもも、穴をくぐりぬけて楽しんでいる作品。

13 妙《みょう》夢《む》／意《い》心《しん》帰《き》

安田侃　2006年

さまざまな作家が考える「日本の庭」

　六本木ヒルズに隠れがちだが、ご近所の複合施設、東京ミッドタウン（六本木）にも、彫刻家の五十嵐威暢やトニー・クラッグら15作家による20のパブリックアートが配置されている。東京ミッドタウンでは敷地全体をさまざまな文化的な出自を持つアーティスト達の作品が混合した「新しい日本庭園」にみたてた作品を配置している。ショップが並ぶ「ガレリア」や広場の「プラザ」など賑やかなエリアは「光の庭園」、芝生広場などがある「ガーデン」をはじめとするやすらぎを目的としたエリアは「月の庭園」とし、それぞれの雰囲気に合わせた作品を選んでいる。*1

62：安田侃《意心帰》2006（著者撮影）／大人もくぼみに入ってよいらしいが、実行している人はあまり見かけない。

そんな東京ミッドタウンのシンボルとなっているのが、安田侃《やすだかん》（1945〜）による2点の彫刻《妙夢》と《意心帰》だ（写真61、62）。

彫刻家、安田侃は北海道美唄市生まれ。1970年より渡伊し、大理石の産地、ピエトラサンタにアトリエを構えた。その地で石やブロンズの彫刻を発表し続けている。また、安田は故郷である美唄市に彫刻公園、アルテピアッツァ美唄を1992年に開館。閉校となった小学校を活用したもので、敷地面積は7万㎡。広大な敷地の中には小品から大作まで40点以上の彫刻が空間に調和するように置かれている、美唄のみならず北海道の人気スポットだ。

地上と地下で呼応するふたつの彫刻

そんな安田の作品は、思わず触れてみたくなるなだらかなフォルムや、どっしりとした質感が特長。黒いブロンズ製の《妙夢》には無意識にもぐりこみたくなるくぼみが、白い大理石製の《意心帰》には中央部分に思わずくぐりたくなる穴が彫り込まれている。新型コロナウイルス流行前は、《意心帰》のくぼみに入り込む子ども達が続出していたという。

両作品は、高さは違えど東京ミッドタウンのほぼ同じ位置に設置されている。作者は「《妙夢》の穴は光を通し、夢を描く空間をつくりだす。そして、《妙夢》のすぐ隣にあるガラスの天窓を通して地下にもぐり、《意心帰》という地の中へ入っていく。つまり、天の光と地の石は、穴という同じ空間を通じてつながっている」と語る。ふたつの作品は、空から注ぐ光、そして2つの穴でつながり合う存在なのだ。そんな作者の想いを知ってからふたつの作品をあらためて見てみるとその場にないもう片方の作品のことが気になってくるから、知識とは不思議なものだ。

なお、北海道のJR札幌駅南口にも大理石製の《妙夢》が設置されており、有名な待ち合わせスポットとなっている。この作品の穴に腰掛けたり、よりかかったりする人も多く、なかなかの愛されている。北海道のほかにも、安田侃の作品は全国各地に点在している。東京では渋谷区文化センター大和田に2点。東京都庭園美術館の庭園、東京国際フォーラムや日本橋浜町のビルなどにも置かれている。もし、安田の作品を見かけたらそっと作品に触れ、人がいないようだったら穴をくぐったりと、思い思いの行動をとってみてほしい。

（東京都港区東京ミッドタウン）

63：アントニー・ゴームリー《ANOTHER TIME XX》2014（撮影：久保貴史©国東半島芸術祭実行委員会）／見に行く時は、滑りにくい靴と運動できる服装で。

14 ANOTHER TIME XX
アントニー・ゴームリー　2014年

険しい場所にあるパブリックアート

誰もがアクセスしやすく、いつでも見られる場所にあるパブリックアート。そんなイメージと正反対の場所に配置されているのがイギリス出身の彫刻家、アントニー・ゴームリー（1950〜）の《ANOTHER TIME XX》（写真63）だ。

この作品があるのは、大分空港から車で50分ほど行ったところにある切り立った崖の上。その崖にいくためには、非常に急な坂を登りつづけなければならない。

しかし、ゴームリーはこの場所だからこそ、作品を置きたいと願ったという。作品は鉄製の人体像で、遠くには広い海、足元は絶壁という、高所恐怖症以外の人にはすばらしい絶景だ。

ロンドン生まれのアントニー・ゴームリーは、ケンブリッジ大学にて考古学、人類学、美術史の学位を取得し、さらにはインドとスリランカに3年間滞在して長く仏教や東洋思想を学んだ。以降、彼は自身をかたどった鉄の人物像をさまざまな場所に置くインスタレーションを発表。身体と空間、社会との関係に疑問を投げかける作品を発表しつづけている。

設置までの長い道のり

ゴームリーの作品が配置された国東半島は、九州北東部に位置し、瀬戸内海に向かって突き出した形になっているほぼ円形の半島だ。6世紀に全国の八幡宮の総本社宇佐八幡が創祀、8世紀に八幡神の化身である仁聞菩薩によって六郷山寺院が建立されたと伝わっている。そのため、八幡信仰の影響をつよく受け、神仏習合の山岳信仰が生まれ、岩壁に彫った仏「磨崖仏」に代表される独自の文化「六郷満山文化」が花開いた。明治政府による廃仏毀釈を乗り越え、現在も独自の風習や祭りが色濃く残る。

2014年にこの国東半島で国東半島芸術祭が開催された。半島の各地に現代アーティストによる作品を恒久設置するという試みで、国東半島芸術祭実行委員会（大分県、豊後高田市、国東市など）は、この芸術祭の参加作家のひとりとしてゴームリーに国東市の千燈岳での作品制作を依頼。彼は現地を訪れ、瀬戸内海の朝日がみえるこの場所に作品の設置を決めた。しかし、《ANOTHER TIME XX》には困難が待ち構えていた。

最初の困難は運搬。本作品は高さ191cm、重量629kg。切り立った崖の上、設置場所にいくまでの道幅は、人が一人歩ける程度の幅しかなく、重機での搬入は困難。ヘリコプターで運ぶことも検討されたが、これも不可能とわかる。設置そのものの中止も危ぶまれたなか、地元の椎茸農家が、ふもとから設置場所まで3カ所のやぐらを作り、それぞれにワイヤーを渡す、ロープウェイのような運搬方法を考案。地元の釣り愛好家により自慢の遠投技術で長さ数十メートル離れたやぐらにワイヤーが投げ渡され、作品をふもとから運ぶことに成功した。

また、この作品の設置計画が発表された2014年、国東半島の地域住民から反対の声があがった。ゴームリーが作品を置く場所に指定したのは、修験者の行う荒行「峯入り行」で歩く峯道の脇だったからだ。芸術祭の事務局は、この作品が仏教や地域の歴史文化を深く理解したうえで考案されたものであることを丁寧に説明。対話を重ねて設置の合意を得ることができたという。

「アート無罪」はどこまで許される？

「アート無罪」というインターネット・ミームがある。アートであれば、どのような表現、どのような行為も認められるはずだという思い込みを揶揄するときに使われる。《ANOTHER

TIME XX》は、作品の設置をめぐって地域に対話の機会を生んだということに大きな意味がある。しかし、このプロセスが曖昧なまま作品が設置されることもときにはある。作品の置かれる場所や作品の意味を、制作する人間、配置する人間はあらためて考える続けていく必要があるのではなかろうか。

なお、国東半島になかなか行けないという人は、新宿区初台にある東京オペラシティに足を運んでみよう。東京オペラシティはパブリックアートが多くみられる複合施設として知られているが、オフィスロビーに、エレベーターをはさむかたちで、ゴームリーによる2体1組の彫刻作品《トゥー・タイムズⅡ》(2005年)が置かれている。この作品、台座や柵などもなく、床にぺったり置かれているのもポイント。横に並んで、人物像がなにを見ているのか妄想してみるのも楽しいだろう。

(大分県国東市国見町)

64：安藤泉《キリン》1989（著者撮影）／金属のパーツごとに金色のふちどりがエレガンスさを際立たせている。

15

キリン

安藤泉　1989年

日本橋はアートな街に変身中

　東京駅周辺はいまや上野、六本木に並ぶアートスポット。丸の内ストリートギャラリー（95頁）をはじめ、東京ステーションギャラリー、三菱一号館美術館や静嘉堂文庫美術館、出光美術館、丸紅アートギャラリーと美術館が密集する丸の内に注目が集まりがちだが、再開発のはじまった八重洲・日本橋も熱い。

　アーティゾン美術館や三井記念美術館といった歴史ある美術館のほか、2023年にグランドオープンした東京ミッドタウン八重洲には、正面エントランス前に、デザイナーでアーティストの吉岡徳仁による10mを超える巨大なパブリックアート《STAR》が展示されている。また、2024年にはアーティゾン美術館の隣にゼネコン大手の戸田建設の新本社ビルが竣工、低層部ではアート事業が展開される予定でこのエリアの動きに期待が集まっている。

なぜ日本橋に巨大なキリンがいるのか

そんな注目が集まる八重洲に、とびきりかわいい動物のパブリックアートがあるのをご存知だろうか。東京駅八重洲口から八重洲通りをまっすぐ歩き、最初の交差点のところ、左手手前にあるスターツ八重洲中央ビルに、安藤泉《あんどういずみ》（1950〜）による《キリン》（写真64）がある。初めてみる人はその大きさにびっくりするはずだ。その高さなんと6m。ビルの柱と一体化したようにみえる作品だ。

安藤泉は神奈川県出身の鍛金《たんきん》彫刻家。鍛金とは金属の板を叩き伸ばして形を変化させていく金属工芸の技法。彼はこの技術を駆使して、さまざまな種類の動物の彫像を制作、高く評価されてきた。ちなみに、ニューヨークにある「自由の女神」も鍛金で制作されている。

本作の《キリン》のある場所は、かつて「中将湯ビル」という、漢方薬や入浴剤バスクリンで認知度を上げた津村順天堂（現ツムラ）の本社があった（現在、バスクリンの販売は分社後、アース製薬グループとなった株式会社バスクリンが販売）。この中将湯ビルは老朽化のために1989年に現在の建物となるツムラビル（現スターツ八重洲中央ビル）に建て替えられる。《キリン》は、このときに設置された。

《キリン》は、2㎜の銅版を使用しており、総重量650kgにも及ぶ大作。小さな半球の上に足をすぼめて立っているため、作品自体はかなりの大きさであるにもかかわらず、奥ゆかしさがあり威圧感はあまりない。キリンがかぶるかわいらしい王冠は縞模様をしており、よくみるとキリンのツノが文様化されたもの。この王冠、じつは照明器具になっていて、かつては周囲を照らしていたといわれている。胴体の部分はかつてのビル・オーナーがアール・デコ調のものを好んでいたため、それと時代が近いキュビズム的な表現を用いたそうだ。遠くからも目立つ存在のため、このキリンはすっかり八重洲のシンボルとなっている。

いつまでもあると思うな親とパブリックアート

しかし、じつはこの作品についてはすでに分からないことも多い。というのは、現在、ビルの所有者が変わり作品が生まれた背景を知る者が周囲に存在しなくなっているからだ。この《キリン》だけでなく、私有地に設置されているパブリックアートは、歴史をたどることが非常に難しい。その土地の所有者や担当者が変わると、資料や記憶が散逸してしまう。気に入ったパブリックアートが私有地にあり、さらにその作品について知りたいことがある場合は、早めに調べておくことをおすすめする。

ちなみに、安藤泉の作品も全国各地に数多く設置されている。《キリン》はとてもファンシーな作品であるが、秋田県井川町、日本国花苑内にある《井川ゴリ山》（写真67）や、江

65：安藤泉《井川ゴリ山》2003（提供：井川町役場）／この他、井川町の子育て支援交流館「みなくる」には、ゴリ山を小型化させた「井川ゴリ山Ⅱ」もある。

戸川区の大島小松川公園内にある《ムー大陸よりⅡ》（2017年）のように、インパクトの強い作品も制作している。特に、《井川ゴリ山》は地元の人達からこよなく愛され、休日にはたくさんの子どもたちがゴリ山に登りにやってくる。さらにはゴリ山をモチーフにした地域特産品も生産され、ふるさと納税の返礼品としても活用されている。日本にあるパブリックアートのなかでもかなり愛されており、今後も地域おこしに一役買ってくれそうな気配だ。

（東京都中央区スターツ八重洲中央ビル）

66：浅葉克己《石の卓球台》2007（著者撮影）／風でボールが意外な動きをすることも。野外の卓球は奥深い。

16 石の卓球台

浅葉克己　2007年

破魔矢の元祖となったユニークな神社

東京都大田区にある新田神社は、南北朝時代の1358年に創建された神社。南朝の忠臣として知られる新田義貞の次男、新田義興《にったよしおき》を祀っている。江戸時代、蘭学者の平賀源内は、この神社の竹を矢に仕立て、新田家の幟と同じ黒一文字の短冊をつけた魔除け「矢守」を考案。これが全国に広がり、破魔矢の元祖となったという。そんな由緒ある神社の境内、拝殿すぐ左側に、大きな石の卓球台が置かれている。もちろんれっきとしたアート作品《石の卓球台》（写真66）だ。

この作品は、2007年から2009年までの3年間開催された大田区を走る東急多摩川線を舞台にしたアートイベント「多摩川アートラインプロジェクト　アートラインウィーク」で制作されたもの。多摩川線は、目蒲線が分割され、２０００年に誕生した新しい路線。この路線の誕生がきっかけとなり、町おこしの一環としてイベントが企画された。

多摩川駅から蒲田駅までの全7駅とその周辺エリアを会場とし、16組のアーティストが参加した。２００８年には、日本の美術史ならびにパブリックアートの歴史も大きく変えた関根伸夫《位相-大地》（42頁）が再制作され、大きな話題になった。イベントが終了しいくつかの作品はしばらく常設展示されていたが、現在は新田神社にある作品だけが残されている。

卓球好きによる卓球好きのためのアート

この作品を制作したのは浅葉克己《あさばかつみ》（１９４０〜）。日本を代表するアートディレクターとして知られ、西武百貨店「おいしい生活」や長野オリンピック公式ポスター、民主党のロゴマークのほか、さまざまなアートディレクションを手掛けてきた。

また、彼は無類の卓球好きとしても知られる。１９７５年、34歳のときに卓球好きのカメラマンと酒の席で知り合ったことで、中学・高校と卓球部だった浅葉の卓球熱に火がつき、卓球クラブチーム「東京ＫＩＮＧＫＯＮＧ」を設立。仕事のかたわらたゆまぬ努力を続け、全国大会にも出場し、卓球六段を持つほどの腕前となった。卓球のイメージアップにも貢献し、世界卓球選手権大会のポスター制作や、新高輪プリンスホテルを会場にした卓球ディナーショーなども企画。また、「ひとりピンポン外交」と称し、世界中にでかけ、卓球を通じたコミュニケーションを行っているのだ。

そんな彼がつくったのが、この《石の卓球台》だ。浅葉は、このアートイベントのために現地を訪れたとき、偶然新田神社を参拝。心地よい雰囲気に魅了され、境内に作品を置くことを提案。現在まで愛される地域コミュニティの基点となっている。社務所では17時まで無料でラケットと球を貸し出ししてくれるため、放課後は子どもたちも楽しく卓球を楽しんでいる。

この作品のおもしろいところは、パブリックアートであるにもかかわらず、制作のバックボーンにあるのが「卓球が大好き」という個人の趣味嗜好であるというところだ。個人の「好き」の塊でしかないものでも、公共の場所に置かれることで、そこに集まる人達に楽しさや喜びを与える。芸術作品に限らず、公共を対象とするものは、すべての人やものに配慮しすぎて、えてしてつまらなくなりがちだ。この作品は、そんな気遣いなど一切なく、それでも老若男女問わず愛されているところがたまらない。

新田神社には、この《石の卓球台》のほか、同じく浅葉克己による石の彫刻《LOVE神社》や《破魔矢オブジェ》なども配置されている。アートとスポーツを楽しめ、さらに縁むすびまで願える。365日縁日のような楽しい神社だ。


（東京都大田区新田神社）

67：佐藤玄々《天女像》1980（提供：三越伊勢丹）／吹き抜けを利用して、いろいろな角度から鑑賞しよう。

17 天女像《まごころ》

佐藤玄々　1960年

デパートにある超巨大木造彫刻

日本橋には重要文化財に指定されているデパートが2店ある。ひとつは日本橋髙島屋本館（39頁）、そしてもうひとつは日本橋三越本店本館だ。竣工は1914年だが、大幅な増改築が行われ、1935年に現在の建物となった。増改築工事終了当時は国会議事堂、旧丸ビルに次ぐ大建築物だったという。

この建物の見どころのひとつが、1階から5階まで打ち抜かれている広さ約400㎡の中央ホールだ。そして、この広いホールに、佐藤玄々《さとうげんげん》による木造彫刻《天女像》（写真67）がある。この作品でまず驚くのはその大きさ。全長10・91m、重さ6750kgという大きさゆえ、かなり後ずさりしないと全貌を把握できない。そして、ありとあらゆるところに装飾が施されている豪華絢爛な作品だ。

三越のウェブサイトによれば本作品は、「天女が瑞雲に包まれて、花芯に降り立つ瞬間の姿」が表現されているという。*2 ただ、風にたなびく羽衣や、うねるような雲の渦で、天女の姿は意識的に探そうとしないとみつけだせない。鮮やかな彩色は、合成樹脂で溶いた岩絵具でほどこされたもので、台座にも宝石が埋め込まれており、どこもかしこもカラフルだ。背後もしっかりと作り込まれており、彩雲に囲まれ48羽の天鳥が舞っている。この作品に劣らず、日本橋三越本店そのものも豪華なつくりなので、厳かな寺院に迷い込んだかのような趣がある。

当初の計画の2倍の大きさで制作

この作品を作ったのは、彫刻家の佐藤玄々（1888～1963）。彼は、福島県の宮彫り師の家に生まれた。宮彫りとは、桃山時代以降に発達した社寺建築を飾る華麗で豪壮な建築彫り物のこと。彼は18歳で高村光雲の高弟、山崎朝雲《やまざきちょううん》の門下に入り、才能を認められ1913年に朝山《ちょうざん》の号を与えられる。その後、1922年に渡仏、ロダンの弟子で、近代フランス彫刻を代表する彫刻家アントワーヌ・ブールデルに師事し、本格的な彫刻の技法と西洋的な表現と精神を学んだ。帰国後、彫刻コンペで勝利したものの、恩師と不仲になり、自ら号を返上。その後、玄々と名乗り、精力的に作品を発表していく。

そんな玄々に、三越は創立50周年記念事業のひとつとして、「高さ6メートル程度の天女像、2年後の納品、制作予算400万円」で依頼。[*3] 玄々は京都・貴船神社の山中にあった樹齢500年を超えるヒノキの大木を用意し、天女像を制作する。しかし、玄々の熱い制作意欲が燃え上がりすぎたのか、それとも人の話をあまり聞いていなかったのか、玄々は倍近くの大きさの天女像をつくってしまう。しかも、納品したのは発注を受けてから10年後、かかった費用は数億円になった。しかし、三越はすべてを受け入れ（多少のクレームはつけたかもしれないが……）、1960年より中央ホールで公開、現在まで展示されつづけている。当時はそのあまりに過多な装飾に、「イソギンチャクのようだ」と多くの異論が噴出したようだが、[*4] 現在はすっかり日本橋三越本店のシンボルだ。

ちなみに、三越といえばライオン像だが、1914年にロンドンのトラファルガー広場にあるネルソン記念塔の下にあるライオン像をモデルに鋳造されたもの。当時の三越支配人、日比翁助は、息子の名前を「雷音」にするほど、ライオンが好きだったようで、気品と店格を象徴してライオン像を発注したようだ。ライオン像は戦時中、金属供出による溶解を逃れ、すでに100年以上日本橋、そして三越のシンボルとして君臨している。

（東京都中央区日本橋三越本店）

68：チェ・ジョンファ《フラワー・ホース》2008（撮影：小山田邦哉、提供：十和田市現代美術館）／前足の裏側を見ると、蹄鉄の部分がバラの花になっている。

18 フラワー・ホース

チェ・ジョンファ　2008年

馬市の街のイメージを一新する華やかな彫像

十和田は、とても若い土地だ。新渡戸《にとべ》傳《つとう》（1793〜1871）が、奥入瀬川から水を引いて作った人工河川、稲生川を造成。不毛の荒野を開拓した。傳の息子の新渡戸《にとべ》十次郎《じゅうじろう》（1820〜1868）は京都の市街地を参考に、1855年より街を碁盤の目のように区画。同じ形状の街として知られる札幌よりも14年ほど早い造成だ。ちなみに、新渡戸傳と十次郎はかつて五千円札の肖像だった新渡戸《にとべ》稲造《いなぞう》（1862〜1933）の祖父、父にあたる。

街を発展させるために、傳と住次郎はこの地にさまざまな産業を起こそうと考え、馬市を開いた。南部地方は古くから名馬を生んできたため、馬市はかなりの大賑わい。1885年に陸軍が軍馬補充部を開設。いつしか、十和田市は馬の産業が地域に根付いていった。

そんな十和田市にあるのが、高さ5・5mの巨大な馬の像、チェ・ジョンファ（1961〜）の《フラワー・ホース》（写真68）だ。

チェ・ジョンファは韓国を代表する現代アーティスト。華やかな色合いの立体作品で評価されており、東京都港区の六本木ヒルズの《ロボロボロボ》、横浜市西区にある臨港パークの《フルーツ・ツリー》などがパブリックアートとして作品を見ることができる。

土地の記憶を作品に

十和田市は、アートによるまちづくりプロジェクト「Arts Towada」を2001年から推進し、その中核施設として街のシンボルロードである官庁街通り（日本の道百選）に十和田市現代美術館を開館させた。建物を設計したのは、金沢21世紀美術館などを手掛けた建築家ユニットSANAAとしても活動する西沢立衛《にしざわりゅうえ》（1966〜）。敷地内に建物を分散させ、ガラスの廊下でつなげている構成は、広場と建物が交互に並ぶ十和田の官公庁通りから着想を得たものだという。

《フラワー・ホース》のある官庁街通りは、かつては陸軍の軍馬補充部事務所があったことから「駒街道」という愛称もある場所。チェは、十和田市の歴史を綿密に紐解き、この作品をつくりだした。鮮やかな色彩の花々は十和田市の未来を象徴したもので、作品の背後にある真っ白な美術館との色彩の対比がまた美しい。

《フラワー・ホース》のように、その土地の歴史や文化をアーティストが解釈してアウトプットした作品は、よそからきた人間にはガイドブック以上の意味を持つこともあるし、その土地に暮らす人間にはより深く地元を知る手がかりとなる。パブリックアートは、置かれた土地のことを深く知るきっかけになる。

十和田市にはほかにも、十和田市現代美術館の向かいにあるアート広場に草間彌生（61頁）やインゲス・イデー（65頁）らの作品が5点、市内中心部にアーティストがつくった椅子のように座ることもできる、ストリートファニチャーが6点あり、街全体が美術館のようだ。また、現代アートチーム、目［mé］が空き家を展示室へと改装した十和田市現代美術館のサテライト会場は、遠くから見るだけでも驚く。さらに商店街にあるお茶屋兼キッチングッズ店の松本茶舗にも、十和田市で展覧会を行ったアーティストが作品をのこしている（いってみてのおたのしみ）。隈研吾設計の十和田市市民交流プラザ「トワーレ」、安藤忠雄設計の十和田市民図書館、藤本壮介設計の十和田市地域交流センター「とわふる」など魅力的な建築もある。一日かけて、街全体を楽しみたい場所だ。

（青森県十和田市十和田市現代美術館）

69：最上壽之《モクモク・ワクワク・ヨコハマ・ヨーヨー》1994（提供：横浜市役所）／夜はライトアップされ、ステンレスの質感がより際立って見える。

19 モクモク・ワクワク・ヨコハマ・ヨーヨー

最上壽之　1994年

作品の隠された機能

1980年代以降再開発事業で生まれた横浜みなとみらい21地区。神奈川県横浜市の中区と西区にまたがって造成された186haの広域な土地には、オフィスにマンション、商業施設や美術館などが集積している。

そのみなとみらい21地区を南北に貫く広大な公園、グランモール公園内に設置されているのが、幅32m、奥行き20m、高さ17m、そして200tものステンレス鋼材を使った巨大な作品。最上壽之《もがみひさゆき》（1936〜2018）の《モクモク・ワクワク・ヨコハマ・

ヨーヨー》（写真69）だ。

　横浜の空を縦横無尽に駆けるようにくねくねと波打つステンレスは、力強い躍動感を持ち、周囲の高層ビルを凌駕する強い存在感がある。夜はライトアップされ、昼間とは異なった見え方をするのもおもしろい。

　じつは、この作品は単なる美術作品ではない。誕生する前から重い「任務」が課せられているのだ。

　この作品の立地を地図アプリなどでみてみよう。作品はみなとみらい21地区内の大型複合施設、クイーンズスクエア横浜と横浜ランドマークタワーの間にある。１９９３年に竣工した横浜ランドマークタワーは地上70階建てで、高さ２９６ｍ。そして、１９９７年竣工のクイーンズスクエア横浜は３棟からなり、横浜ランドマークタワーに面する棟、クイーンズタワーＡは地上36階建てで高さ約１７２ｍと、どちらも超高層ビル。そして、すぐそばに海がある。それゆえ、２棟の間には当初から強いビル風が吹くことが懸念されていた。

「強いビル風をなんとか軽減する造形物にしたい」。最上には、当初からそのような「お題」のもと制作依頼が寄せられた。制約のある制作は、自由を好む芸術家には避けられがちだが、最上は「風という流体を表現に取り込む良い機会」と捉え、制作に踏み切ることとなった。

抽象的でダイナミック、そして独特なネーミングセンス

最上壽之は神奈川県横須賀市出身。抽象的でダイナミックな作風で人気を博していたが、作品のタイトルにカタカナを使ったリズミカルな名前をつけていたことでも知られる。

私達が野外で見られる最上作品でも、兵庫県神戸市の平磯緑地には《コンナイイモノミタコトナイ》（1980年）、広島県広島市の比治山公園には《テク・テク・テク・テク》（1983年）や、長野市の《ランララチンチンオトコノコ》（1984年）などがあり、どれもインパクトの強いものばかりだ。特に、東京都美術館の屋外に展示してある《イロハニホヘトチリヌルヲワカヨタレソツネナラムウヰノオクヤマケフコヘテアサキユメミシヱヒモセスン》（1972年）は、いろは歌を単にカタカナに変えただけなのだが、その名を知るだけで忘れられない作品になっている。

ちなみに、この作品は作品タイトルが長すぎるため、ウェブサイトではタイトルが《イロハニホヘトチリヌルヲワカヨタレソツネ・・・・・・ン》と省略されてしまっている。あまり長い名前は、インターネット時代にはなかなか表記も難しい。

自由なようでいて計算しつくされた造形

そんな最上が、このみなとみらい21地区のために制作したのが、この作品だった。さまざまな制約をクリアするために、最上は素材にステンレスを使い、パイプとリングを組み合わ

せた造形を考案した。曲線を多用しているのは、周囲に高層ビルをはじめ、直線的な造形物が多かったためだ。最上が大気の流れを具現化しようとして生み出した造形は、ビル風抑制効果が風洞実験で証明され、当初の案からほとんど修正が発生せず、現在の形になっているという。

そして、この作品のタイトルもまたインパクトが強い。このタイトルは、モクモクした雲に気持ちが高ぶり、ワクワクする気持ち。そしてヨコハマの前途洋々（ヨーヨー）たる発展を願う意味が込められている。作品のある広場は、その名にちなんで「ヨーヨー広場」という名前がつけられている。

この作品にビル風抑制の機能があることはあまり知られておらず、純粋に造形の美しさだけで横浜市民、そして訪れる観光客に愛されていることがすばらしい。それでいて、強い風から来る人々を守ってくれている。この作品がある限り、みなとみらい21地区の前途は洋々なはずだ。なお、横浜市は1960年代半ばから街に積極的に彫刻を設置していた自治体だ（民間企業やロータリークラブなどの寄贈が多い）。そのため、桜木町や関内、馬車道で道にある彫刻をみることができる。横浜市のあたらしい観光スポットとして、パブリックアートが盛り上がることを願っている。

（神奈川県横浜市グランモール公園）

70：クレス・オルデンバーグとコーシャ・ファン・ブルッゲン《Saw, Sawing》1996（著者撮影）／東京ビッグサイトのシンボルとして愛されている。

20 Saw, Sawing
クレス・オルデンバーグ　1995年

日用品を巨大化させたポップアート

東京ビッグサイトの愛称で親しまれている東京国際展示場は1996年開業。現在まで、数多くの見本市・展示会等の会場として利用されている、日本最大級のコンベンション施設だ。ここで夏と冬の年に2回開催される「コミックマーケット（通称コミケ）」は、1回の開催で50万人以上を動員する世界最大の同人誌即売会だ。また、東京ビッグサイトは2021年に開催された2回目の東京オリンピックではプレスセンターとして利用されたことも記憶に新しい。ここを訪れる多くの人々が「なぜこの場所にこんなものが？」と疑問を持つであろうパブリックアートが、クレス・オルデンバーグ（1929

～2022）と、妻のコーシャ・ファン・ブルッゲン（1942～2009）による超巨大作品《Saw, Sawing》（写真70）だ。なにせ、高さ15・5mのこぎりが地中に突き刺さっているのだ。

クレス・オルデンバーグはスウェーデン生まれ、アメリカ育ちのポップアートを代表する彫刻家。ポップアートとは消費社会のアメリカで生まれた現代美術のジャンルのひとつで、コミックを作品のモチーフとしたロイ・リキテンスタイン、マリリン・モンローやキャンベルのスープ缶などを題材にしたアンディ・ウォーホルが代表的な作家として知られている。そのなかでオルデンバーグは、日常にあるありふれたものを超巨大化させる手法により、世界的な名声を得た。彼はスプーンや洗濯バサミ、バドミントンのシャトルなどを公園や街のなかに配置していった。その意図は、作品そのものとその背景を新鮮にみせようとすることにある。

おちついた空間に遊び心あふれる一作

《Saw, Sawing》は、そんなオルデンバーグによる日本で初めての作品。〝問題解決のプロセス〟を表現しているそうだが、のこぎりで大地を切り裂くことがはたして問題解決につながるのかどうかは若干の疑問（実力行使ということなのだろうか……？）が残るものの、ともかくにも、オルデンバーグは有明の地に、日常にあるありふれたもののひとつとして西洋のこぎりを配置した。

ただし、日本では西洋のこぎりはあまり使われておらず「ありふれたもの」とはいえない。その点をオルデンバーグも若干気にしていたようで、自身のウェブサイトで「日本ではあまり西洋のこぎりは使われてないけど」と注釈を入れていて自作の解説をしている。それでも、ひと目でのこぎりだとわかるし、作品も周囲の風景も印象が強まるし、彼の目論見は成功しているといえよう。

本作品は、単にのこぎりを巨大化させただけではなく、周囲の環境との調和も考慮に入れている。ジグザグしたのこぎりの歯は、東京ビッグサイトの逆ピラミッドの形状を踏襲したものだ。また、のこぎりの持ち手のなめらかな曲線、鮮やかな赤色は、東京ビッグサイトの幾何学的なフォルム、おちついた色調の建物との、コントラストを際立たせている。また持ち手の中央にポツポツとある、青いビスもアクセントになっている。

さらに、のこぎりと大地の接地面をみてみると、のこぎりが切り刻んだと思われる溝が刻まれている（写真71）。無邪気な作品のようにみえて、かなり計算されて作り込まれているのだ。

日本におけるオルデンバーグの作品は、この《Saw, Sawing》のほか、ファーレ立川（56頁）で《リップスティック》（1967年に既存の作品を購入、展示）、宇都宮市立美術館の中庭で《中身に支えられたチューブ》（1985年）などを見ることができる。

また、東京ビッグサイトには、オルデンバーグの作品のほか、李禹煥《項》（写真72）や笠原恵実子《UNTITLED-Three type》（写真73）など、全7点の作品が展示されている。仕事の合間に息抜きとして、パブリックアートをしてみるのもおすすめだ。

（東京都江東区東京ビッグサイト）

71：同前（部分）（著者撮影）／大地が刻まれている。

72：李禹煥《項》1995（著者撮影）

73：笠原恵実子《UNTITLED-Three typ#3》1995（著者撮影）

74：渡辺誠《WEB FRAME》2000（提供：MAKOTO SEI WATANABE / ARCHITECTS' OFFICE）

21 都営大江戸線・駅舎デザイン

途中下車したくなる大江戸線の駅舎デザイン

パブリックアートの設置プロセスは、1990年代中ころに設計段階からアーティストらと内容や場所を検討する、という流れに変化したということは前章（55頁〜）で触れた。駅に設置するパブリックアートについてもその流れがみられる。代表的な例が、2000年に開通した都営大江戸線の駅舎だ。大江戸線の駅は、全38駅のうち環状部の26駅がコンペで選ばれた建築家15名によって設計が行われるという、従来にはない試みが行われた。そのため、一駅ごとに個性が際立ち、わざわざ途中下車したくなる駅になっている。たとえば、渡辺誠（1952〜）による飯田橋駅は、天井と照明の機能を持つ《WEB FRAME》（写真74）と呼ばれる緑色の鉄パイプを網目のように添わせているし、青島裕之（１９５６〜）による赤羽橋駅は、ガラスモザイクやガラスブロックをふんだんに用い、透明感あふれる未来的な駅舎となっている。金と黒が基調の六本木駅、蔵をデザインモチーフにした蔵前駅など、その土地の歴史や文化なども感じ取れるのもおもしろい。圧巻は、清澄白河駅ホームの壁面を覆う樋口正一郎（１９４４〜）の《20世紀文明の化石》。この作品はホームの壁を使って展示されたもので、全長約２７０ｍ。作品は、高度経済成長期に駅のある江東区で多く生産されてきた工業製品のスクラップでできている。作品のなかには絵巻物のように時間が表されており、宇宙の誕生から、日本や東京の発展、地下鉄や都市の再生、未来の展望までが記されていて、みている間にホームの端から端までたどり着いてしまう。２０１１年よりホームドアが設置されたため、以前よりも作品がみづらくなってしまったが、それでも力強さは健在だ。

大江戸線はパブリックアート天国

そして、みどころは駅舎だけではない。建築家が駅舎デザインを行った26駅には、地下の閉塞感を和らげるために「ゆとりの空間」という名前のパブリックアートのスペースがあらかじめ用意されている。この空間も芸術家が公募され、若手芸術家やグループはもちろんのこと、漆芸家として名高い髙橋節郎《たかはしせつろう》（１９１４〜２００７）の汐留駅にある《日月星花》、日本画家で文化勲章受章者の片岡球子《かたおかたまこ》（1905〜2008）の築地市場駅にある《国貞改め三代豊国》《浮世絵師勝川春章》、彫刻家の五十嵐威暢（1944〜）の大門駅《波のリズム》といった大御所たちのバラエティ豊かな作品が展示されている。

ちょっと変わった作品もある。本郷三丁目駅にある、本郷三丁目ゆとりの空間制作プロジェクトチームによる《CROSSING HEARTS 2000》だ。この作品は、日本の代表的詩人の作品、48編で埋め尽くされたもので、哲学者で東京大学名誉教授の小林康夫（1950〜）が選定委員らとともに取りまとめた。寺山修司や田村隆一、吉増剛造、伊藤比呂美や新川和江らの言葉の鋭い部分が並べられ、思わず足を止めて読み耽る人も多い。一駅ごとのデザイン、一駅ごとに特色あるパブリックアートがある大江戸線は、美術館のように楽しめる路線。都営1日券を購入して、駅とアート鑑賞をじっくり楽しんでみよう。

2007年に開通した東京メトロ副都心線も、駅ごとにパブリックアートを配置している。日本はゆっくりではあるが、まだ計画途中の路線も多い。新しいアートの場として駅はこれからも熱く盛り上がる。

75：《鬼太郎》（©水木プロ）／この道を歩くために境港を訪れる観光客も多い。

22 水木しげるロード

妖怪あふれる街づくり

1970〜1980年代に全国各地に大流行した「彫刻のあるまちづくり」事業は、都市の美化やゆとりをつくることが主目的だった。しかし、時代が進むとそうともいっていられない状況が地方都市では顕著となる。肝心の人が街からいなくなってしまったからだ。街の人口よりブロンズ像の数が多くなってしまっては元も子もない。

その結果、あらたに「地域活性化」という目的でつくられたパブリックアートが登場しはじめる。その草分け的存在が鳥取県境港市にある水木しげるロードだ。全長800mものエリアに、水木しげるの漫画などの作品に登場する妖怪たち177体のブロンズ像が配置されている。ブロンズ像一体を鑑賞するのに1分かけたとすると全てを見終わるのに約3時間かかる量だ（写真75、76、77、78）。

水木しげるロードがある鳥取県境港市は、古くから漁業を中心に栄えていた街で、境港駅周辺には商店街が複数あり、栄えてきた。しかし、郊外への大型小売店の進出や消費者ニーズの多様化、店主の高齢化など、社会状況の変化により1980年ころから駅前周辺は非常に閑散としはじめた。

水木しげる本人がアイディアをだした

商店街に人を呼びたい、この願いで境港市は1989年よりまちづくり計画をスタート。翌年に開催されたまちづくりシンポジウムにパネリストとして出席した境港市出身の漫画家、水木しげるは「自分の作品を街に置いてはどうか」と壇上で発言した。このことがきっかけとなり、水木漫画などに登場する妖怪をブロンズ像にする計画が持ち上がった。妖怪というイメージの悪いものをまちなかに置くことに、市民からの反対意見もあったが、熱意ある市役所職員らが懸命に住民を説得。鬼太郎や目玉おやじ、ねずみ男などの主要なキャラクターや人気の妖怪など23体が並ぶ200mの水木しげるロードが完成した。

そして、この水木しげるロードを訪ねる観光客が急増する。いまでは、年間200万人を超える島根県を代表する観光スポットとなった。人気に伴い、水木しげるロードは拡張に拡張を重ね、ブロンズ像も続々と増えていく。さらに、水木しげる記念館、妖怪神社、河童の泉など水木しげるに関する関連施設も次々にオープン。現在は新型コロナウイルス対策のため神出鬼没となっているが、キャラクターが街を徘徊し、人間とのふれあいも行われている。パブリックアートがきっかけとなり、境港の街は大きく生まれ変わったのだ。

水木しげるロードの成功をきっかけとして、全国各地で漫画やアニメの登場人物を起用する地域活性化事業が行われるようになった。世田谷区桜新町の商店街には２０１２年より長

76：《鬼太郎》（©水木プロ）

77：《吸血鬼エリート》（©水木プロ）

78：《水木しげる氏顕彰像》（©水木プロ）

谷川町子原作の国民的漫画・アニメの『サザエさん』銅像が、葛飾区全域に、高橋陽一の『キャプテン翼』や秋本治の『こちら葛飾区亀有公園前派出所』の銅像が、それぞれ街のなかで人々を出迎えている。新潟市の古町築には水島新司の『ドカベン』や『あぶさん』、『野球狂の詩』の登場人物の銅像が並んでいる。2018年からは、熊本県の各地に地元出身の漫画家、尾田栄一郎の『ONE PIECE』の登場キャラクターのブロンズ像が出現。熊本地震の復興を応援している。

かつて、日本の多くの自治体は成功事例にならうかたちで「彫刻のあるまちづくり」事業を行い、日本中が銅像だらけになった。近年は、新潟県で開催されている「大地の芸術祭越後妻有トリエンナーレ」の成功を参考に、全国各地で芸術祭が開催されている。過去の事例を考えていくと、今後は親しみのあるキャラクターの銅像が、うれしくはあるものの、うんざりするほど増えてしまうかもしれない。

（鳥取県境港市本町）

79：山下恒雄《金鋼鎚起 豊展観守像》1991（著者撮影）／肩から大胸筋までが発達しているようにみえる謎の生物。

23 金鋼鎚起《こんごうついき》 豊展観守像《ほうてんかんしゅぞう》

山下恒雄　1991年

撮らずにはいられない、妙にそそる像

その奇抜なビジュアルから、SNSでもよく取り上げられているパブリックアートが東京都千代田区の神田橋公園にある（写真79、80、81、82）。その像は、全身が金色で、立膝をつき、腕組みをした姿だが、首から上が、潰れてしまったような出で立ち。これは、たしかに写真を撮らずにはいられない。そして、みな同じようなことをつぶやいている「これはいったい何なのだろう？」と。第1章で書いたとおり、気になるパブリックアートはまず周辺をチェックし、銘板を探してみよう。見当たらない場合は、周辺の地面や壁に置かれていることが多い（ファーレ立川はあえて銘板をつけていないが、たいて

いはある。ないのは設置者の怠慢にほかならない）。銘板で作者や制作年代をみるクセをつけていると、そのうち「この作者名、○○でも見かけたな……」「この年代の制作ということは、『彫刻のあるまちづくり事業』で置かれたものなのかな？」など、自分なりの〝カン〟が身についてくる。そのうち、遠くにパブリックアートをみつけたら、思わず駆け寄ってしまうようになるはずだ。神田橋公園の金色の像にも銘板がついている。しかもかなり特大サイズで、作品の「いわれ」まできちんと掲載されていた。

> 金鋼鎚起／豊展観守像／山下恒雄作
>
> この彫刻は、活気とやすらぎ・教育と文化の町として知られる千代田区に住む人びとの豊かさと発展する町を観守する姿を、こがね虫と人間の擬人化により、造形表現をして制作されたものであり、「彫刻のある町・千代田」として潤いと個性のある歴史と文化を重視した新しいまちづくりを願う久保金司氏より、神田の魅力を記録した写真集、神田っ子の昭和史「粋と絆」の浄財をもとに本区に寄贈されたものです。
>
> 平成三年九月／千代田区

こたえは、コガネムシ人間

この作品は《金鋼鎚起 豊展観守像》というタイトルで、山下恒雄《やましたつねお》（1924〜1998）が1991年に制作し、久保金司という人が千代田区へ寄贈したということがわかる。そして、金色の像はこがね虫と人間を合体させたものということもわかった。

しかし、なぜコガネムシと人を合体させる必要があるのか？　ということまでは銘板だけ

80：同前部分（著者撮影）

81：同前部分（著者撮影）／足のラインはなまめかしくみえる。

82：同前部分（著者撮影）

ではわからない。作者の山下やその周辺を深く知る必要がある。

山下恒雄は東京美術学校（現 東京藝術大学）在学中から日展に入選するなど、その実力を評価されてきた鍛金家。正統派の作品も発表しつつ、ときおり動物や虫を擬人化させるなど、2つの要素を合体させる作品を残したことで知られる。その一つが、神奈川県川崎市、小田急線新百合ヶ丘駅前にある《ふるさとの詩》（写真83）だ。この作品もカマキリと人間を合体させたというインパクトの強いもので、コガネムシ人間と同じく腰から太ももあたりのラインが艶めかしい。

コガネムシ人間は「彼の作風」なのだ。山下はタウン誌『ＫＡＮＤＡルネッサンス』1992年1月15日号で、《金鋼鎚起 豊展観守像》について、「新しい誇り高い街が再びよみがえるまで（かつて、この千代田の地に幕府を構えた徳川家康のように）じっと見守る姿を表現するため、「(多産で）大変縁起の良い虫」「古くから美術のモチーフとして用いられてきた」コガネムシを擬人化させたものだと述べている。いささか難解ではあるが「景気がいい感じがするコガネムシが優しく千代田区を見守っているよ」ということらしい。作家の作風や制作意図がわかると、当初は不気味に見えた像も、温かみを全面に感じるようになってくるからおもしろい。

東京神田で大人気の山下さん

山下節を感じさせる作品がコカネムシ人間の近くにある。千代田区九段北にある、俎橋《まないたばし》児童遊園の《寿人遊星》（写真84、85）だ。これは、当時、地球に接近していたハレー彗星と寿老人を合体させた作品。寿老人のとてつもなく長い頭には、かわいらしい「☆」のマークが刻み込まれている。作品の台座のなかにはタイムカプセルが埋められており、次のハレー彗星がやってくる2061年に開けられるという。

83：山下恒雄《ふるさとの詩》1984（著者撮影）／カマキリ人間は神奈川県の花、やまゆりを高く掲げている。

84：山下恒雄《寿人遊星》1986（著者撮影）

85：同前部分（著者撮影）／登頂部分に「☆」のマークが。

ほかにも神田周辺には山下が制作した作品があり、大黒天、吉祥天、弁財天などまじめ（?）な作品もちゃんとある。これは、自治体に頼ることなく、住民レベルで街に彫刻を置こうとするという運動が神田であったためだ。中心となった人物は、《金鋼鎚起 豊展観守像》の銘板にも名前が掲載されていた、久保工の代表取締役社長（当時）久保金司。彼は、父の代から続く建設会社の経営の傍ら、タウン誌『KANDAルネッサンス』、NPO法人神田学会などを立ち上げた、神田の今と昔を伝える活動を精力的に行っている人物。下町からオフィス街へと変貌を遂げていくこの地に、芸術・文化を根付かせたいという思いが熱く、神田のまちづくりには欠かせない人物だ。彼はビルのオーナーに呼びかけて新築ビル入口付近にアート作品を設置する運動を行っていたのだ。そのため、千代田区では入口付近に彫刻が置かれたビルが現在も100近くある。そのなかで山下の作品も多く発注され、神田の地に置かれるようになった。ちなみに、《金鋼鎚起 豊展観守像》や《寿人遊星》は、神田にまつわる絵本や写真集の売上をもとに制作されている。

《金鋼鎚起 豊展観守像》を見たあとには、周囲を散策して、山下の作品をいくつか見て歩いてみよう。

（東京都千代田区神田）

86：澄川喜一《東京スカイツリー》2012（著者撮影）

24 東京スカイツリー

澄川喜一　2012年

日本一高いタワーもパブリックアート

あまり芸術に縁がない人でも、ひと目見れば「これは○○の作品だ」とわかる画家は多い。うねるタッチのゴッホ、四角がいっぱいのモンドリアン、女性も菩薩もみんなムチムチしている棟方志功など、それぞれの芸術家が持つ独特のタッチを、私達は知らず知らずのうちに覚えていて、メディアで見かけるたびにこの作品はだれのものかと、テロップが出る前になんとなくわかってしまう。

しかし、彫刻作品になると、これが難しい。《考える人》をみれば、それがロダンの作品だとだれもがわかるが、それ以外の作品となると、ロダンだとすぐにわかる人は少ない。岡本太郎や草間彌生くらい有名で、クセが強い作品でないと、だれもがひと目でピンとはこないのだ。

とは言うものの、裸サックスの黒川晃彦（99頁）や大理石やブロンズでまんなかに穴が開いている安田侃（106頁）のように、彫刻作品でも作者の特長やモチーフを覚えておけば、遠くからでもすぐにその作品がだれのものなのかがわかるようになる。家族や友人と散歩するとき、道にあるパブリックアートを、銘板をみることなく「これは○○の作品だ」といってみれば、きっとものしりな人として尊敬してもらえるはずだ。

そんな、てっとりばやく覚えられるパブリックアート作家の一人が、元文化庁長官で工芸家の宮田亮平《みやたりょうへい》（1945～）だ。宮田の特長は「イルカばかり」ということ。イルカといえば絵画業界では、クリスチャン・ラッセンが有名だが、パブリックアートの世界では宮田亮平なのだ。なので、もし街で景気よく波に乗っているイルカを見かけたら「あれは宮田さんの作品じゃないか？」といってみよう。たぶん正解し、尊敬されることうけあいだ。なお、宮田は山下恒雄（141頁）の門下生である関係から、千代田区のパブリックアートも多く制作している。これらのなかには、宮田にしては珍しいフクロウの作品がある。こちらも知っておくと自慢できる豆知識だ。他にも、細長い金属をひねったような作品の脇田愛二郎《わきたあいじろう》（1942～2006）や、朱色が大好きな清水久兵衛《しみずきゅうべえ》（1922～2006）、作品がピカピカでやたら反射する多田美波《ただみなみ》（1924～2014）などは、一度名前と作風を覚えておくと、すぐに街で発見できるようになる。

見る角度によって変わる「そり」「むくり」

そして、宮田と同じように全国各地に作品があり、なおかつその特長を覚えやすく、そしてとても有名な作家がいる、澄川《すみかわ》喜《き》一《いち》（1931〜）だ。

東京藝術大学彫刻科で平櫛《ひらぐし》田中《でんちゅう》や菊池一雄に学んだ澄川は、戦後の抽象彫刻のパイオニア。

87：澄川喜一《TO THE SKY》2012（著者撮影）／「そり」と「むくり」で構成された作品。

全国各地に120点以上ものパブリックアートを手掛けており、その多くが天に向かって伸びており、そして作品のどこかが微妙にカーブしている。このカーブを澄川は、下に向かって曲がったものを「そり」、その逆で、上に向かって曲がっているものを「むくり」と定義し、作品のなかに組み込んできた。彼の作品はバラエティ豊かなため、最初はひと目で「これは澄川の作品だ」と判断するのが難しいが、作品に必ずあるクセのある独特なカーブを覚えれば、遠くからでもすぐに澄川の作品だとわかるようになるはずだ。

そんな彼の代表作のひとつが、デザイン監修を手掛けた「東京スカイツリー」(写真86)。東京スカイツリーは土台部分は正三角形で、展望台付近で正円にデザインされている。それゆえに、見る角度によって、「そり」にみえたり「むくり」にみえたりと、シルエットが大きく変わってみえる。左右対称の姿をみることができるのは、正三角形の頂点を正面にした3方向だけ。シンプルなようでいて、複雑な形をしているのだ。東京スカイツリーは、電波塔であり複合施設であるため、厳密な意味でのパブリックアートではない。しかし、全国各地に作品がある澄川が追求した芸術のエッセンスが凝縮されている。なお、東京スカイツリーの足元には、澄川が手掛けたパブリックアート《TO THE SKY》(写真87)もある。東京スカイツリーをみて、彼の作品を実際に見てみたくなったときは、こちらも訪れてみよう。

(東京都墨田区)

88：中谷芙二子《霧の彫刻 #47610 ―Dynamic Earth Series Ⅰ―》2021（撮影：髙木純也、提供：株式会社プロセスアート）

25

霧の彫刻 #47610 ―Dynamic Earth Series Ⅰ―

中谷芙二子　2021年

パブリックアートは彫刻だけじゃない

パブリックアートという言葉を聞くと、多くの人が彫刻や壁画作品を連想する。しかし、現在のパブリックアートは立体作品だけではない。

たとえば、東京都新宿区にある複合施設、東京オペラシティアートギャラリーには山口勝弘《森の気配》（2004年）の、サウンド・インスタレーション、つまり音の作品が設置されている。重厚な石壁からは、風や水、虫や木々のさざめきなど、自然界の音がかすかに聞こえてくる。この作品は、イヤホンを装着していたり、だれかと話しながら歩いていたりするとその存在に気付けない。

ランドスケープを利用する

そんな、彫刻ではないパブリックアート作品はまだまだある。長野県立美術館の屋外「水辺テラス」に設置された、中谷芙二子《なかやふにこ》（1933〜）の《霧の彫刻 #47610 – Dynamic Earth Series I –》(写真88) もそのひとつ。この作品は、決まった形を持たず、つねに流動的だ。なぜならば、この作品は〝霧〟でできているからだ。

長野県立美術館は1966年に財団法人信濃美術館として開館。1969年に県に移管され長野県信濃美術館となった。2021年に美術館を建て替え、「ランドスケープ・ミュージアム」をコンセプトに新築オープン。常設展示の目玉作品として、入場無料エリアにこの作品が設置されたのだ。

中谷は北海道札幌市生まれ。世界で初めて、雪の結晶を人工的につくることに成功した物理学者、中谷宇吉郎《なかやうきちろう》（1900〜1962）を父に持つ。父親の仕事の関係で渡米し、現地で美術を学んだ中谷は、1970年の大阪万博で霧の彫刻を初めて発表。以後、世界各地で霧の作品を制作しつづけている。

霧の彫刻は、特殊なノズルと高圧力で水を噴出させ、人工的な霧を発生させてつくりだす「彫刻」作品だ。霧はその日の温度湿度、天候や地形に影響を受ける。長野県美術館の作品は、高い位置から霧を噴出させているため、気流に乗って霧が空へ昇っていく日もあれば、固まりのように大地によどみ続ける日もある。その日によってふるまいが変わる霧の姿を通して、鑑賞者は自然の姿を感知するのだ。いつもの空間が霧の姿を通すとまったく違うものであることに気づく。これは、パブリックアートの理想的な姿なのではないだろうか。

この作品をめぐっては、パブリックアート、著作権、著作人格権を考えるきっかけとなる事件が起こっている。2022年12月末、長野県立美術館は、《霧の彫刻》について「作家の意向に反した商業目的利用があった」として謝罪と対応を記した文書を発表した。これは、国内のファッションブランドが、パリ・ファッションウィークへの出展を目的に《霧の彫刻》の前でモデルが歩く動画を撮影し、ホームページやSNSで公開したというもの。ブランド側は美術館に許諾を得たものの、作家の中谷には無許可で行っていた。中谷はこの件に対し異議を申し立て、同館を運営する長野県文化振興事業団は第三者委員会を設置、中谷側と解決に向けて協議を進めている。パブリックアートは、身近に感じられるものであるからこそ、その存在や権利がないがしろにされがちだ。パブリックアートを扱う際は、その作品、そして作者へのリスペクトを忘れないようにしたい。

（長野県長野市長野県立美術館）

89：三島喜美代《Work 2012》2012（提供：株式会社東横イン元麻布ギャラリー）／陶であるにもかかわらず、段ボールや缶など質感の再現も忠実。

26

Work 2012

三島喜美代　２０１２年

インパクト大の巨大なゴミ箱

東京都品川区の臨海部にある天王州。古くから倉庫街として知られているこのエリアは、ここ約15年の間に大変身。「アートの街」として、国内外で注目されはじめている。そのエリアにあるパブリックアートのひとつが、三《み》島《しま》喜《き》美代《みよ》（１９３２〜）の《Work 2012》（写真89）だ。

三島喜美代は大阪府生まれ。１９５０年代後半から実験的な平面作品を発表し、90歳を超えた現在も精力的に活動を続ける現役アーティストだ。彼女の作品で評価が高いのは、表面にシルクスクリーンでプリントをほどこした陶（セラミック）の作品。日常生活で目にする新聞紙や雑誌、空き缶にダンボールなどを、折れ曲がりや潰れなども含め精巧につくりあげた作品は、ユーモアと壊れやすい陶が持つはなかさをもつ。《Work 2012》も、この陶のシリーズのひとつ。ビジネスホテル「東横ＩＮＮ品川港南口天王洲アイル」の正面玄関前に配置されており、高さ２・５ｍものゴミ箱のなかに、ビール缶が入っていたダンボール箱やタバコや、カップラーメンのパッケージなどが無造作に詰め込まれている。三島は、これらのゴミを現代社会にあふれる情報とみたてて、現在の社会状況を表現する。この作品を知らずに訪れた人は、たいていがギョッとした表情になるが、それ以外の人はあたりまえという顔だ。それは、天王洲の一帯は、この作品のほかにもパブリックアート作品が配置され、また一帯にギャラリーやギャラリーカフェ、画材店などが林立する「アートの島」だからだ。アート作品が珍しくない場所なのだ。

企業がつくる「アートの島」

このまちづくりの中心的な存在は地場の倉庫会社、寺田倉庫だ。１９５０年創業の寺田倉庫は、もともとは国指定の米倉庫を手掛けていた会社。その後、トランクルームやワイン保管サービスなど個人向け事業に特化した倉庫会社として事業をすすめ、美術品や骨董品の保管先サービスを展開していく。

現在、寺田倉庫は天王洲を芸術文化の発信地にすることを目的に、複数のギャラリーが入居する複合施設「TERRADA ART COMPLEX I」、「TERRADA ART COMPLEX II」をオープンさせた。国内外で活躍するアートギャラリーが多数集積しているのだ。

このほかにも、現代美術コレクターのコレクションを寺田倉庫が預かりつつ、展示する美術館「WHAT MUSEUM」、現代美術作品の鑑賞もできるカフェ「WHAT CAFE」、画材店「PIGMANT TOKYO」などもオープン。また、1997年に自前の倉庫をリノベーションしたレストラン「T.Y.HARBOUR」を開業し、天王洲をおしゃれに演出している。寺田倉庫の活躍なくしては、天王洲の発展は考えられないのだ。

なお、三島喜美代の作品がある東横インは、寺田倉庫にお付き合いして作品を置いているわけではない。東横インもまた、企業として現代美術やアーティストの活動を支援しており、天王洲から6㎞ほど離れた城南島で「ART FACTORY 城南島」というアートスポットを運営している。元倉庫をリノベーションしたこの場所には、アーティストの制作スタジオや、三島喜美代の作品数十点を常設展示している巨大ギャラリーも備えている。現在、天王洲は「アートになる島 ハートのある街」をまちづくりのスローガンとして、さらなるまちづくりを進めている。りんかい線とモノレールの2路線も通る便利な天王州。ギャラリーやパブリックアートめぐりで1日すごせる楽しい場所だ。

（東京都品川区東品川）

90：籔内佐斗司《犬モ歩ケバ》1990（著者撮影）／「わんわん、楽しいよ！楽しいよ！」と言ってそう。

27 犬モ歩ケバ

籔内佐斗司　1990年

バブルの面影を訪ねる

日本にはかつてバブル景気と呼ばれる活況の時代があった。それがどのような時代だったのか、いまの私達が体験できる機会はほとんどないが、当時つくられた建物や施設を訪れると（メンテナンスが行き届いたところに限るが）、雰囲気を感じ取ることはできる。横浜市保土ケ谷区にある横浜ビジネスパークは、古き良きバブル時代の面影が色濃く残るおすすめの場所だ。

1990年、日本硝子横浜工場の跡地にオープンした横浜ビジネスパークは、野村不動産が開発した複合施設。イタリア人建築家でデザイナーのマリオ・ベリーニが設計した「ベリーニの丘」を中心に、オフィスビルやレストランやショップ、公園にスポーツセンターなど10の建物が取り囲むように配置されている。このベリーニの丘と隣接する水のホールは、ドラマやミュージック・ビデオ等の撮影によく登場する荘厳な空間。近隣の住民も散策し、人々に愛される空間だ。

フフっとなるユーモアあふれるアートたち

この横浜ビジネスパークの敷地全体にパブリックアートが配置されている。この構成を担当したのは、アートディレクターの河北秀也《かわきたひでや》（１９４７〜）。横浜美術館館長も務めた芸術評論家、河北倫明《かわきたみちあき》の甥でもある河北は、東京藝術大学在学中にサクマ製菓の「いちごみるく」のパッケージデザイン、営団地下鉄（現 東京メトロ）の地下鉄路線図（卒業後に正式に採用）を手掛けるなど、早くから才能を発揮。三和酒造「いいちこ」の商品企画やアートディレクションは１９８３年から現在にいたるまで40年以上携わり、展覧会も開催されたほどだ。河北は、「ユーモア」を基本コンセプトに、３棟のオフィスビルの１階や野外の空間を「横浜ガレリア」としてパブリックアートのエリアにする。そして、そのエリアをさらに７つのゾーンに区分けそれぞれに「人間のユーモア」「動物のユーモア」「風景のユーモア」などサブテーマを割り振り、全部で23の彫刻作品と25の絵画作品を配置した。画家・福田美蘭の父で、グラフィックデザイナーとしても知られる福田繁雄《ダンス》（20頁）や、安藤泉（１１３頁）の《犀‐2》、など、河北のテーマ通りユーモアに満ちあふれた作品が多い。

そして、そんな楽しい作品群のなかでもとりわけインパクトが強いのが籔内《やぶうち》佐斗司《さとし》（1953〜）の《犬モ歩ケバ》（写真90、91）だ。エリア内は犬の集団が走り回り、勢いあまった一部は壁に埋まってしまっているのだから。

籔内佐斗司は大阪府出身の彫刻家。東京藝術大学で彫刻を学び、仏像等の古美術の古典技法とその修復技術を研究しつつ、自分の芸術を追求して人気を博してきた。発表当初は大不

91：同前（部分）1990（著者撮影）／勢い余って壁にめりこむ犬。

92：フェリッペ・レターセン《インディオの会合 》1990（著者撮影）／会議をするには6名の距離が近すぎるような。

93：クラウス・カンマリーヒス《タイガー》1990（著者撮影）／正面から見るときのみしっかり虎に見える作品。

評だったものの、いまや奈良県に欠かせないキャラクターになった「せんとくん」のデザイナーとしても知られている。複数の犬が走り回る《犬モ歩ケバ》のシリーズも人気で、福島県のいわき駅前大通りや秋田県立近代美術館の彫刻公園、千葉県の松戸競輪場など全国各地に配置されている。これらの《犬モ歩ケバ》シリーズは複数の犬が走っているだけなのだが、犬が勢いあまって壁にめりこんでしまい、また壁から出てくるのは横浜ビジネスパークのこの作品だけ。

横浜ビジネスパークの作品群（写真92、93）は、どれもこれも足を止めずにはいられないものばかりなのだが、ここがファーレ立川や新宿アイランドが生まれる前のプロジェクトだったということは特筆すべきだろう。もし、バブルがはじけることなく、日本の景気が下降しなければ、この横浜ビジネスパークのようなかたちで、アートディレクターやデザイナーがディレクションしたパブリックアートあふれる街や地域が生まれていたかもしれない。《犬モ歩ケバ》をはじめ、横浜ビジネスパークの作品群は、そんな「もしも……」に思いを馳せさせてくれる、ゆとりの空間だ。

（神奈川県横浜市保土ケ谷区内横浜ビジネスパーク）

94：福沢一郎《天地創造》1972（提供：日本交通文化協会）／設置当時は総武快速線への中央通路にあったが、京葉線通路側壁に移設された。

28 天地創造

福沢一郎　1972年

パブリックアート界の最重要団体

日本のパブリックアートを考える上で欠かすことができない場所のひとつが鉄道駅だ。都営地下鉄のマーキュリー像（38頁）や、JR上野駅の猪熊弦一郎の壁画（74頁）のように構内だけでなく、駅前に置かれた彫刻像は街のシンボルとして、待ち合わせの場所として親しまれている。

駅を中心にさまざまな公共空間にパブリックアートを精力的に寄贈している団体がある。その名は公益財団法人日本交通文化協会。1972年、東京駅にある福沢一郎（1898〜1992）のステンドグラス作品《天地創造》（写真94）を皮切りに、この50年

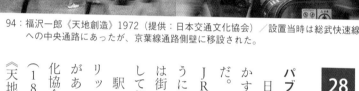

で550点以上のパブリックアートを制作、寄贈している団体だ。

この協会をつくった瀧冨士太郎《たきふじたろう》（1903～1975）は、もともとは政財界や鉄道業界の情報誌「内外交通研究」の発行人を務めていたジャーナリスト。取材活動のなかで培った豊富な経験と厚い人脈をもとに広告代理店、交通文化事業株式会社（現 株式会社NKB）を立ち上げ、広告付きベンチを駅のプラットフォームに置くなどの事業を考案し成功をおさめてきた。

そして、これまでお世話になってきた交通文化への貢献という目的で、日本交通文化協会が1948年に立ち上げられ、現在まで展覧会事業や育英事業も行う。

現在の協会理事長を務めているのは瀧冨士太郎の息子で、株式会社ぐるなび創業者、そして株式会社NKB取締役会長の滝久雄《たきひさお》（1940～）。彼がパブリックアートを寄贈しはじめたのだ。

鉄道開通100周年を機に制作

《天地創造》が寄贈された1972年は鉄道開通100周年の年。公共空間の美化や質の向上を目指していた滝久雄は、東京駅に芸術作品を展示し、多くの人にみてもらうことを思いつき、父親の冨士太郎を通して当時の国鉄総裁、磯崎叡《いそざきさとし》に提案。

そして、生まれたのが福沢一郎による作品だ。縦5m、横9mという巨大な作品は、福沢の原画をもとに、日本のステンドグラス作家の草分けとされる大友二三彌《おおともふみや》（1921〜2006）が制作したもので、設置当時は世界最大級のステンドグラスと謳われていた。

原画を描いた福沢一郎は群馬県生まれ。東京帝国大学文学部に入門するも学問に興味を持てず、朝倉文夫のもとで彫刻家を目指し、1924年にパリに留学、その地で大ブームとなっていたシュルレアリスムに触れ、彫刻から絵画に転向する。1931年に帰国するやいなや、その最先端の画風が大評判となる。一方、悪目立ちがすぎて評論家の瀧口修造とともに逮捕されてしまうこともあったが、いずれにせよ影響力のあったアーティストだ。《天地創造》は、戦後になって活動を再開した福沢が描いた《埋葬》（1957年、東京国立近代美術館蔵）がベースとなっており元の作品を90度回転している。

日本交通文化協会は「交通人総合文化展」という、国内の大物画家を招聘しての展覧会を1954年から60年以上継続して開催しており、この展覧会を通じてビッグネームの画家達との密接なつながりを持っている。福沢一郎以降、片岡球子や宮田亮平、野見山暁治《のみやまぎょうじ》（1920〜）などさまざまな画家がパブリックアートに参加しているのには、このつながりによるものが大きい。なお、日本交通文化協会のパブリックアートは駅周辺の企業などから協賛金を集め制作を行う。作品の隅には協賛企業の名前が記載されているのでチェックしてみよう。

ちなみに、この《天地創造》の制作から9年後、1981年に、NKBのアート部門として

「クレアーレ熱海ゆがわら工房」が設立された。常時15～20名の職人が制作を行う、ステンドグラスと陶板レリーフの工房で、日本交通文化協会と連携して、日本各地のパブリックアートを制作している。光を透過するステンドグラスは建物内に彩りと開放感をもたらし、陶板レリーフは絵画のような平面の形態を取りつつも立体感をつけられるので、躍動感も感じられる。たとえば、第2章で紹介した北原龍太郎の《ハチ公ファミリー》(32頁)もクレアーレ熱海ゆがわら工房で制作されたものだ。

パブリックアートの作品を選定したり、作家と交渉を行ったりする会社は多いが、職人を雇い、制作まで手掛ける組織はNKBを除いてほとんどない。だからこそ目立つ場所に作品が置かれているのに、あまり知られていないことを勝手ながら歯痒く思ってしまう。日本交通文化協会のパブリックアートは駅だけでなく学校や空港などにも広がっている。そして、2010年台以降はさらに活躍の場を広げているのだが、それはまた次の頁で紹介することにしよう。

(東京都千代田区東京駅)

95：山口晃《日本橋南詰盛況乃圖》2021（提供：日本交通文化協会）／江戸の屋敷と昭和・平成のビルがなかよくひしめいている。

29

日本橋南詰盛況乃圖《にほんばしみなみづめせいきょうのず》

山口晃　2021年

変わり続けるパブリックアート

福沢一郎《天地創造》（161頁）の制作からはじまった日本交通文化協会のパブリックアート事業は、50年の歴史のなかで数々の作品を各地に寄贈してきた。北原龍太郎《ハチ公ファミリー》や天津恵《Bright Time》などの渋谷駅に点在するパブリックアートのほか、待ち合わせスポットとして親しまれている仙台駅の近岡善次郎《ちかおかぜんじろう》（1914〜2007）の《杜の讃歌》（1978年）、前川國男《まえかわくにお》設計の建物に彩りを添えた弘前市民会館の佐野ぬい（1932〜）の《青の時間》（2014年）など地域のシンボルとなっている作品も多い。

ただ、同協会の手掛けているパブリックアートは、前述のとおり、協会が育んでいた豊富な人脈によって作家が選定されることが多く、ゆえに平山郁夫《ひらやまいくお》や絹谷幸二《きぬたにこうじ》、堀文子《ほりあやこ》に宮田亮平らの、いわゆる「巨匠」の作品が中心となり、若年層には地味で堅実な印象を与えてしまうことも少なくなかった。

しかし、日本交通文化協会は2010年代以降、制作を担当する作家の幅が大きく広がっていく。日本交通文化協会常任理事の西川恵《にしかわめぐみ》さんは「2015年に仙台空港ターミナルビルに設置した、漫画家の大友克洋（1954〜）さんが原画と監修をつとめた陶板レリーフ《金華童子《きんかどうじ》風神雷神ヲ従エテ波濤《はとう》ヲ越ユルノ図》の存在がおおきい」と語る。2011年に起こった東日本大震災により、仙台空港は大きなダメージを受けた。協会は仙台空港に人々を勇気づけるパブリックアートを寄贈することを決定したが地元出身のアーティストの選定を行ったものの、なかなか適任者がみつからない。「そんなとき、宮城県出身の大友さんなんてどうだろう？　という声が挙がった。知り合いの漫画編集者に相談したら『大友さんは数年先までスケジュールが埋まっている作家、断られるに決まってる』と言うんです。でも、ダメ元でお願いしたら快諾してくれた。そして、地元の人々も観光客もこの作品をとても喜んでくれた。以降、アーティストの選定の幅が広がってきています」。

これを機に同協会は現代美術作家とも作品を手掛けるようになった。そのひとつが、山口晃（1969〜）による東京メトロ銀座線日本橋駅にあるステンドグラス作品《日本橋南詰盛況乃圖》（写真95、96）だ。

現代の「やまと絵」

山口晃は、東京都生まれ群馬県育ちの画家で、東京藝術大学で油彩画を学ぶ。日本の伝統的な表現様式を下敷きにしつつ、独自の解釈で対象を緻密に描く作品で人気がある。

96：同前部分（提供：日本交通文化協会）／ステンドグラスの高い技術力にも注目。原画を忠実に再現している。

2019年のNHK大河ドラマ「いだてん：東京オリムピック噺」のオープニングタイトルバック画や、東京2020パラリンピック公式アートポスターは多くの人々に親しまれた。

東京メトロ銀座線日本橋駅に設置された《日本橋南詰盛況乃圖》は、江戸時代から商業の街として栄えてきた日本橋南詰と現在の風景を混在させ、上空から俯瞰する「やまと絵」の手法で描いた作品。江戸時代の屋敷と高層ビルが隣り合い、木造の日本橋と首都高速道路がクロスする不思議な風景だ。山口は、この作品を描くために国会図書館で当時の資料を探すなど調査と構想を重ね、原画制作のためだけに3年をかけた。そして、この原画をもとにしたステンドグラスは、約75

種類、1182ピースのガラスで構成。山口による監修のもと、6名の職人が約1年がかりで制作した。日本橋の歴史を一瞬にして把握できるこの作品は、早くも日本橋の人気スポットに定着している。「今後も、日本交通文化協会は、将来が期待される漫画家や現代美術アーティストとパブリックアートの制作を行っていきたいです」と、西川さんは語る。

日本交通文化協会は「1%フォー・アート」の法制化のために賛同者を集め、提言をまとめて政府幹部に渡したり、シンポジウムを開催する活動を精力的に行っている。1%フォー・アートとは、公共工事費もしくは公共建築費の1%に相当する予算を芸術文化に支出するというもので欧米では数十年も前から制度化されている。アジアでは台湾や韓国ですでに法制化されている。日本で法制化が実現すれば、パブリックアートだけでなく、アートの世界そのものにも大きな変化が起きるはずだ。

（東京都中央区東京メトロ日本橋駅）

97：レアンドロ・エルリッヒ《雲》2014（著者撮影）

30 雲

レアンドロ・エルリッヒ　2014年

《スイミングプール》の作家の作品が東京に！

古都であり、伝統工芸の町として知られている石川県金沢市。その町のイメージを大きく変革したのは、2004年に開館した金沢21世紀美術館、そして美術館の目玉作品、レアンドロ・エルリッヒ（1973〜）の《スイミングプール》（2004年）だ。

この作品は、そのタイトルのとおり本物のプールにみえる作品だが、水面の下には自由に動き回れる空間があり、プールの上にいる人、下にいる人が水面越しにその動きを確かめ合うことができる。作りはシンプルであるが、それゆえに老若男女に人気があり、鑑賞希望者の行列が絶えない作品だ。

レアンドロ・エルリッヒはアルゼンチン生まれのアーティスト。錯覚や音響装置、映像などを使って、人が持つ感覚をダイレクトに揺さぶる作品を数多く制作しており、世界中で大人気の現代美術アーティストだ。森美術館「レアンドロ・エルリッヒ　見ることのリアル」展は、若手アーティストの個展でありながら総入場者数は61万人を超え、２０１８年に日本で開催された美術館展覧会のなかで、入場者数1位となっている。

そんな人気の作家のパブリックアートが、千代田区の日比谷公園に近い飯野ビルの敷地内に設置されている。《雲》（写真97）は、ガラスの箱のなかに雲が閉じ込められたようにみえる作品。白いインクでペイントした10枚のガラスを重ねることで、「大海原に浮かぶ自由な雲」のように作り込まれており、近づいて凝視してみても、ずっとぼんやりしたままで、しっかりみたという確信を持てないまま時間が過ぎ去る。夜はLEDライトに照らされ、雲はさらに不思議な感じを醸し出している。この作品はビル風をやわらげる防風スクリーンとしても機能しており、ぼんやりしているにもかかわらず、しっかり者の一面も持っているのが頼もしい。ちなみに、飯野ビルにはもうひとつ、エルリッヒの作品《池》（２０１４年）がある。飯野海運のケミカルタンカーで使用する特殊なステンレスを磨きあげ、「美しい池」にみたて、周囲の緑を鏡に映し込む幻想的な作品だ。

他にもアートがいっぱい、飯野ビル

この作品が配置されている飯野ビルは、タンカー事業など海運業を主要業務とする飯野海運株式会社が運営している。現在の飯野ビルは、かつてあった飯野ビルディング（1960〜2008）を建て替えたもの。飯野ビルは過去の歴史を非常に大切にしており、旧ビル内のイイノホールにあった、洋画家の村井正誠《むらいまさなり》による壁画を現在の同ホールに移設している。また、「イイノの森」のなかには2つのエルリッヒによる作品がほか、アーティストの平田五郎が、旧飯野ビルディングの柱型に使用されていた白御影石を用いた光の塔（ミナレット）《空を見るためにイイノの森のためのミナレット》（2014年）を設置している。先人達の記録や記憶を残そうとする気概が見て取れるのだ。

そんな、過去をしっかりと受け継ぎながら、世界的人気作家の作品も合わせて展示する飯野ビルは、今後激しくなってくるビルの建て替えラッシュの大きなヒントとなってくれそうだ。

海外現代美術の人気アーティストの作品は日本でもよくパブリックアートになっている。90年代から00年代に人気だったダニエル・ビュランはお台場に《25 PORTICOS》（1995年）という、壮大な作品を残している。

（東京都千代田区飯野ビル）

注釈

＊1　東京ミッドタウンのアートワーク・アートディレクターのひとりである清水敏男は「東京ミッドタウンのアートワーク」『INAX REPORT』17号（清水敏男、２００７年、LIXIL、https://www.biz-lixil.com/column/pic-archive/inaxreport/IR171/INAX171_41_51.pdf）でそのコンセプトを語っている。

＊2　参考：「日本橋三越本店の歴史再発見」日本橋三越本店ＨＰ、２０２３年３月３日取得、https://www.mistore.jp/store/nihombashi/column_list_all/nihombashi_history/list03.html

＊3　「制作予算４００万」については、彫刻家の籔内佐斗司が指摘している。参考：「「佐藤朝山天」記念講演会／２００６・10・15／一橋大学小平国際共同センター多目的ホール／佐藤朝山〜天平の幻影〜」（籔内佐斗司公式ＨＰ、２０２３年３月３日取得、https://uwamuki.com/j/museJ.html.data/shiryousitu/conceptdata/chozan/）。または、「美の巨人たち 佐藤玄々「天女像まごころ」」（テレビ東京ＨＰ、２０２３年３月３日取得、https://www.tv-tokyo.co.jp/kyojin_old/backnumber/110723/index.html）

＊4　「イソギンチャクのようだ」については、前述の籔内が指摘している。

第5章
パブリックアートのこれから

人を排除するためのアート？

いつでも鑑賞でき、そして私達の街歩きを楽しくしてくれる（しかも無料！）パブリックアートだが、たくさんあればハッピーというわけでもない。

通行の妨げになるという理由で邪険にされる作品もあるし、清掃が行き届かずに、排気ガスやトリのフンまみれになっている作品もある。嫌われることもなく、認知もされず、そっと消えてしまう作品もある。パブリックアートの未来を取り巻く問題は山積みだ。

その問題のひとつがパブリック空間を侵食している「排除アート」と呼ばれるものの存在だ（写真98）。渋谷や新宿を歩いていると、先を斜めに切った円筒状の物体や、小さな突起物が歩道の端に敷き詰められているのを目にすることがある。また、公園や駅のベンチに、小刻みに間仕切りがつけられていたり、座面が極端に細くなっていたりするものをみかけるが、これらは施設の管理者が意図する用途以外に使われることを防ぐため設置されている。簡単に言えば「ホームレスよけ」だ。特定の目的を達成するためのもの、課題を解決するためのものであるから、厳密に考えれば「排除デザイン」という名前のほうが実態に近いのだろう。しかし日本ではなんだかわからない曖昧なものに「アート」と名付けることが多いため、いつのまにか「排除アート」という名前が定着してしまっている。

建築史家で排除アートに詳しい五十嵐太郎によれば、日本において排除アートは１９９０年代後半から防犯カメラの普及とともに広まったという。威圧的な鉄条網や張り紙に代わり、一見するとなんだかわからない「アート」なオブジェは、一般人には圧を感じさせることがない。それゆえに、排除アートは公共空間をどんどん侵食し、さわやかな形で特定の人物を追い出している。

しかしこれらの排除アートは、私達にも簡単に牙を剥く。2011年に発生した東日本大震災において、遠方への徒歩帰宅を余儀なくされた人達は、間仕切りされたベンチや、謎の突起物によって、ゆっくり横になることを許されず、ほうほうのていで帰宅した。また、平時であっても、気分の悪くなるとき、どうしても横になる必要があるときが発生するが、排除アートは公共空間に滞在することを激しく拒絶する。特定の人を受け入れたくないがためにつくられた排除アートには、だれもがふとした拍子にその特定の人になりうる、という想像力を欠いたものなのだ。

この問題は、アートだけでなく、公共とはなにかという視点からも考え続けていく必要があるだろう。

98：千代田区神田橋公園内の排除アート（著者撮影）／かわいいオブジェにまじえて、その場で寝られないよう突起物を配置している。

99：作者不明《愛の母子像》1974（提供：東京五反田ライオンズクラブ）

設置側の都合で撤去されるパブリックアート

パブリックアートはある日、突然姿を消してしまうこともある。

その理由はさまざまだ。たとえば、設置側の都合によるもの。東京都品川区にあるＪＲ五反田駅の東口前には１９７４年に五反田の東京五反田ライオンズクラブによって《愛の母子像》（写真99）が設置された。愛の母子像は五反田のシンボルとして愛され、駅印の絵柄に採用されるほどの人気の作品であったが、設置場所にテナント棟を建てるため２０１１年に撤去されてしまった。作品はＪＲ東日本が保管しており、ライオンズクラブが駅周辺のしかるべき場所に再設置できるよう調整を行っているというが、10年経過した現在もまだ五反田駅に《愛の母子像》は現れない。

設置側の都合であわや解体となっていたパブリックアートもある。丹《たん》下《げ》健《けん》三《ぞう》（１９１３〜２００５）が設計を手掛け、１９６７年に竣工した電通旧本社ビルは、惜しまれつつ２０２１年に解体された。この解体に伴い、ひっそりと消えようとしていたのが、志《し》水《みず》晴《せい》児《じ》（１９２８

〜2005）によるビルエントランスに設置されていた石の抽象彫刻だ。志水は丹下と協力し、国立代々木競技場や東京カテドラル聖マリア大聖堂などに作品を残した。電通旧本社ビルの作品も、丹下健三とのコミッション・ワーク（その場所や環境、設計者の要望などに合わせて制作する作品）のひとつだ。

しかし、志水の親族には作品が解体される話は、まったく知らされていなかったという。報道によって作品が消失寸前であることを知った親族は保存に向けて奔走、山梨県北杜市にある文化芸術施設、清春芸術村への移設が解体直前になってようやく決定した。もし、親族が報道を知らなかったら、作品の受け入れ先が見つからなかったら、この作品は消えていただろう。

設置当時と現代の価値観のギャップ

近年では設置当時と現在の価値観の隔たり、特にジェンダー観の大きな変化によってパブリックアートが撤去される例も見受けられる。兵庫県宝塚市にある宝塚大橋には、1978年に橋の開通を祝って新谷琇紀《しんたにゆうき》（1937〜2006）の裸婦像《愛の手》（写真100）が橋上に設置された。この作品は宝塚グリーンライオンズクラブが寄贈したもので、男性の手のひらの上に立つ裸婦というモチーフは、設置当時から女性蔑視の声が上がっていた。市内の市民団体を中心に反対運動が沸き起こり、ハンガーストライキで抗議を行う市民まで現

100：新谷琇紀《愛の手》1978（提供：フォトストック）

れたが、宝塚市はそのまま設置を続行した。そして時が流れ2021年、本作は橋の改修工事で一時撤去される。橋の再整備に際し、兵庫県と宝塚市が通行人や市民を対象にアンケートを実施したところ、裸婦像を公共空間に置くべきではないという意見が十数件寄せられることとなり、本作の再設置は見送られた。当時は急進的とされ、自治体も無視するかたちとなった意見が、40年経過すると無視することができない多数の意見として受け止められることとなったのだ。

同じような例をもうひとつ紹介しよう。大西康彦が1987年に制作した《テラ・大地》は第51回新制作展で「新作家賞」を受賞した横たわる姿の裸婦像だ。本作品は、善通寺ロータリークラブが買取り、同年、市に寄贈した。作品は市役所前にあった池の上に置かれ、人々の目を楽しませていた。しかし、2002年、市役所の敷地を再整備するために裸婦像は近くの施設に移設。市役所は大西に近くの公園に再設置すると返答していたものの、その計画は「子どもが来る場所に裸婦はふさわしくない」という声が上がり頓挫。市は2009年にロータリークラブに作品を返却した。2022年になり、とある看護学校の植え込みのなかに放置されているのが発見された。現在は大西が作品を引き取り、再展示の準備が計画されているという。

そもそも「愛や平和、希望、すなわち裸婦」という感覚はどこから来たものなのだろうか？

女性裸体像の問題に取り組んでいる彫刻家で研究者の小田原のどかは、「この国において彫刻を学ぶことは、裸の女をうまくつくる技術を習得することに等しいといっても過言ではない側面がある」と、日本の彫刻教育に遠因があると示唆している。また、積極的に裸婦像を自治体に寄付し続けていた地元のライオンズクラブやロータリークラブの当時のメンバーの好み、そして構成メンバーのジェンダー比率も無視することができない。

いずれにせよ、現在の私達が持つジェンダー意識と、当時、パブリックアートを制作・設置していた側との意識に明確な隔たりがあることは事実だ。ただし、そのことが過去に制作された作品の価値を否定したり、その作品を貶めることにつながってはならない。その作品が「パブリック」な空間に置かれることの是非のみが議論されるべきであろう。

公の合意形成のむずかしさ

設置そのものが一部の市民に受け入れられなかった例もある。2018年、福島県福島市は復興の象徴として、子育て支援施設「こむこむ館」前に、ヤノベケンジの《サン・チャイルド》（写真101）を設置した。作品は重さ800kgに及ぶ巨大な子ども像で、放射能防護服のような黄色い服に身を包み、その胸部にはガイガーカウンターを思わせる装置が「000」という数字を表示させている。ヤノベはこの作品を「子どもは未来を表しており、それらは放射能の心配のない世界を迎えた未来の姿の象徴でもあります」と自身のサイトで説明した。しかし作品設置後、市民から「原発事故の風評被害を広める」と批判が殺到。設置を擁護する声もあったものの、わずか1カ月弱で撤去されることとなった。本作品はもちろん、福島の人々を貶める内容ではない。むしろ復興・再生をともに歩んでいこうという強い思いも込められていたものだ。しかし、2018年当時は東日本大震災・福島第一原発事故から7年ほどが経過した時期。震災を過去のものとするか、現在進行形のものとするかは、人によって分かれる期間だ。作品を設置した自治体、作家、市民ともに復興への思いを持っているにもかかわらず、お互いに意思疎通、合意形成が十分でなかったことから、それぞれに不幸な結果となってしまった。

101：ヤノベケンジ《サン・チャイルド》2011（提供：ウェブ版「美術手帖」）

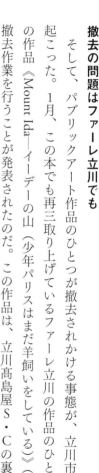

撤去の問題はファーレ立川でも

そして、パブリックアート作品のひとつが撤去されかける事態が、立川市で２０２３年に起こった。１月、この本でも再三取り上げているファーレ立川の作品のひとつ、岡崎乾二郎の作品《Mount Ida―イーデーの山（少年パリスはまだ羊飼いをしている）》（写真１０２）の撤去作業を行うことが発表されたのだ。この作品は、立川髙島屋Ｓ・Ｃの裏手に設置されたもの。髙島屋Ｓ・Ｃは１月末で閉店することとなっており、２月１日以降、改装工事のため撤去するというのだ。

102：岡崎乾二郎《Mount Ida―イーデーの山（少年パリスはまだ羊飼いをしている）》1994（著者撮影）

本作品は、１９５５年から１９６０年代まで続けられた米軍立川基地の拡張計画に反対する住民運動「砂川闘争」を踏まえて制作されたもの。作者の岡崎乾二郎によれば、２０２２年６月から内々に話は来ていたようだが、事業者達との話し合いは膠着状態であったようだ。作品は「誰にも占拠されない、誰の土地でもない空白を彫刻の内側（この彫刻の中心には換気口という実際の穴もあります、その穴の上に人は立てない）に置いて、そこに人間の手の侵入から逃れた自然、植栽をおき鳥や動物たちを招く」という岡﨑の説明のとおり、地下駐輪場の換気口を色とりどりのフェンスで覆うような形で設置されており、この場所以外の設置場所は考えにくい状態だった。

この作品について、評論家や研究者で構成される団体、美術評論家連盟は1月13日に作品保存に対する要望書を立川市長ならびに株式会社髙島屋代表取締役社長に送付。美術系ウェブサイトや新聞各社もこの模様を詳細に報じたところ、1月19日、髙島屋はそれまでの態度を一変、保存の方針を固めていることが報道から明らかにされた。ファーレ立川に関しては、これにて一件落着、である。

しかしファーレ立川は、美術史の教科書に取りあげられるほど特別な存在であったからこそ、作品の撤去に関する報道や識者達のコメントもあった。けれども、私達の家の近所や駅前にあるパブリックアートが同じように撤去されるとなったらどうだろう？　その作品のために声を上げてくれる人はいるだろうか？　もし、あなたにお気に入りのパブリックアートがある場合は、作品が永久に残るよう、その作品のファンを少しでも増やし、もしものときに声を上げられるように準備しておくことをおすすめする。

タイムカプセルとして楽しむパブリックアート

好意の対義語は敵意ではなく、無関心だといわれることがあるが、パブリックアートはまさにこの状況だ。声高に罵る人はいないけれど、好きな人も嫌いな人も少なく、無視されることばかり……。この原因は、これまでのパブリックアートの道のりに大きく関係している。端的にいえば、作品が「地に足がついていない」のだ。時代の変化に合わせすぎて、置かれる作品や作風に変遷が多く、確固たる軸、秩序が読み取れない。それゆえ、人々は街にあふれるパブリックアートを「雑多なもの」と判断してしまい、そして視界に入っていてもなかったことにしてしまう。

しかし、筆者はそのように変遷を繰り返すからこそ、パブリックアートを面白いと感じる。宮下芳子の《新宿の眼》から1960年代の雑然とした東京が、スタルクの《金の炎》からあっけらかんとした1980年代の世相がみえてくるように、全国各地に散らばるパブリックアートからも、設置当時の時代や街の雰囲気を感じとることができる。「路上でみられるタイムカプセル」としてパブリックアートを鑑賞すれば、当時の人々の芸術に対する考え方、公共への意識が作品からうっすらとみえてくる。そんな楽しみ方を知れば、多くの人がパブリックアートに無関心ではいられなくなってくるはずなのだ。

とりあえず街へ出てみよう

ここまでで、パブリックアートの長い歴史と状況をおわかりいただけたと思う。もちろんパブリックアートを取り巻く深刻な状況は憂慮しておいたほうがいいけれど、まずは近所や勤め先、よく行く場所にどんなパブリックアートがあるのかを知り、ちょっとだけ関心を持ってみてはいかがだろうか？

パブリックアートをどう愛でればいいのか。それは、そんなに難しいことではない。道で、ビルのなかでパブリックアートをみかけた場合。そして若干時間がある場合は、まず近づいてみよう（写真103）。そのとき、その作品に対してなにを感じたのか可能な限り覚えておく。「おにぎりの像がある」「雰囲気のいい女性が立っている」「放置自転車に囲まれている」など、なんでもいい。その後、作品をじっくりみて、先ほど見た感想とどう変わったのかと比べてみるのだ。「おにぎりだと思っていたら、浦和うなこちゃんというウナギの像だった」「顔立ちも美しかった」「放置自転車の存在を忘れてしまうくらいカッコいい」。そして、その後に銘板をチェックする（写真104）。

103：脇田愛二郎《ねじられた柱》1986（著者撮影）／すぐに近寄らず、まずは全体を眺めよう。

この作業を繰り返していくうちに、そして自分の「好み」の傾向がつかめてくるようになっていく。さらには「渋谷には自分好みの作品が多い」「銀座は小さな作品が点在している」

「ここは広い公園だから、いくつか彫刻がありそうだな」と、土地とパブリックアートを関連付けて考えられるようになる。みる前から、その土地にどんな作品があるか予想までできるようになるのだ。その予想が当たると楽しいし、意外な作品に出会って予想が外れてしまうときも楽しい。つまり、いつでも楽しくなってくるのだ。

〝推し〟の作家を作るのもいい。流正之《ながれまさゆき》（１９２３〜２０１８）の作品を見たらラッキーなので、好きなジュースを飲んでいいとか、建畠覚造《たてはたかくぞう》（１９１９〜２００６）の作品を見つけたら５００円募金するとか、なにかしらのルールを決めておくと他の作家がつくったパブリックアートも気になって、きちんとみたくなってくる。

予定が立て込んでいてそこまでじっくりパブリックアートを鑑賞している余裕がない、という場合はスマートフォンを利用しよう。撮影しておいて、あとでじっくり撮影するのだ。スマホでの撮影は位置情報が付加されるので、どこで撮影した作品か失念してしまっても、地図情報をもとに思い出すことも可能だ。

104：同前部分（著者撮影）／全体をみてから、近寄って銘板を確認する。

そして、パブリックアートの鑑賞や撮影を行うとき、正面からだけでなく、横や後ろからもチェックしておくことをお忘れなく。正面から見たらとても迫力があるのに、真横から見たら恐ろしいほどに薄い抽象的な作品であったり、顔面に比べて臀部や太ももが非常に緻密に作り込まれている人体像であったりなど、見る角度が異なると印象がガラリと変わるものもあるからだ。正面からぐるりとものを一周して動画撮影しておくのもおすすめだ。

こうやってパブリックアートをみつづけていくうちと、パブリックアート以外の「アート的なもの」にも興味が湧いてくる。「ニイミ洋食器店のコック像は初代社長がモデルなのか」。「駅の改札にはよく生花が飾ってあるが、鶯谷駅南口のガラスケースには近所にある華調理製菓専門学校の学生や教員が作った飴細工が飾ってある！」「JRの駅は、駅員さんがポスターを直筆で描いている」など、気になることが増えていき、歩く速度はゆっくりとなり、目的地への到着がとにかく遅くなっていくのだ。まあ、それはそれできっと楽しい。

そう、パブリックアートはアートだけでなく、社会のありとあらゆることの興味につながる、とても大切なきっかけなのだ。そんなきっかけが街中に転がっているのだから、チェックしないわけにはいかない。まずは歩いて作品をチェックしにいってみよう。

主要参考文献

書籍

『井上武吉新作展―my sky hole―迷路』東京都美術館特別展図録、1985年

『イメージの歴史』若桑みどり、2012年、筑摩書房

『駅デザインとパブリックアート 大江戸線26駅写真集』東京都地下鉄建設編集、2000年、東京都地下鉄建設

『近代を彫刻/超克する』小田原のどか、2021年、講談社

『誰のための排除アート?:不寛容と自己責任論』五十嵐太郎、2022年、岩波書店

『壮観! ナゴヤ・モザイク壁画時代2021』INAXライブミュージアム

『彫刻2:彫刻、死語/新しい彫刻』小田原のどか編著、2022年、書肆九十九

『彫刻の歴史: 先史時代から現代まで』アントニー・ゴームリーほか、2021年、東京書籍

『銅像時代:もうひとつの日本彫刻史』木下直之、2014年、岩波書店

『日本の彫刻設置事業:モニュメントとパブリックアート』竹田直樹、1995年、公人の友社

『日本のパブリック・アート』竹田直樹、1995年、誠文堂新光社

『幕末維新 銅像になった人、ならなかった人:銅像に見る、幕末維新アナザーストーリー』三澤敏博、2016年、交通新聞社

『パブリック・アート 50年のあゆみ:文化・芸術に親しむ社会を目指して』日本交通文化協会、2022年

『パブリックアートが街を語る』杉村荘吉、1995年、東洋経済新報社

『パブリック・アート入門:自治体の彫刻設置を考える』竹田直樹、1993年、公人の友社

『ファーレ立川パブリックアートプロジェクト:基地の街をアートが変えた』北川フラム、2017年、現代企画室

『街の中の岡本太郎:パブリックアートの世界』川崎市岡本太郎美術館、2018年、川崎市岡本太郎美術館

『矢橋六郎 大理石モザイク作品集』矢橋六郎マーブルモザイク作品集制作懇話会・同検討専門部会編集、2021年

『私の彫刻がある風景』黒川晃彦、2013年、多摩美術大学

雑誌論文

「井上武吉」『スフィア』1997年、日本マーブル協会
「現在および将来における鍛金造形の可能性」『広島市立大学芸術学部紀要』永見文人、2009年、広島市立大学芸術学部
『KANDAルネッサンス』1991~1993年、神田学会出版部
「公共空間における女性の彫像に関する一考察」『亜細亜大学国際関係紀要』高山陽子、2019年、亜細亜大学国際関係研究所
「都市とアートの真相：パブリック・アートが変わる！」『美術手帖』11月号、1996年、美術出版社
「日本におけるパブリックアートの変化に関する考察」『環境芸術』9号、八木健太郎・竹田直樹、2010年環境芸術学会
「パブリック・アート特集」『JUDIS NEWS』8月号、1994年、都市環境デザイン会議 広報・出版委員会
「パブリック・アートの現在形」『SD別冊』1995年、鹿島出版会
「パブリックアートの世界」『別冊太陽』1995年、平凡社
「モクモク ワクワク ヨコハマ ヨーヨー 最上壽之氏」『ステンレス建築』7号、1997年、一般社団法人 日本鋼構造協会
「横浜のパブリックアート」『SD別冊』1997年鹿島出版会

ウェブ

「新宿の目」宮下芳子公式サイト、2023年3月3日取得、http://www.latelier.co.jp/public/arts/art_public_b1.html
「彫刻回帰線」柴田葵、2023年2月8日取得、http://aoishibata.la.coocan.jp
「パブリックアート&デザイン」六本木ヒルズHP、2023年3月3日取得、https://www.roppongihills.com/facilities/publicart_design/
「ファーレ立川の岡﨑乾二郎作品、髙島屋が一転保存へ」web版美術手帖、2023年3月3日取得、2023wehttps://bijutsutecho.com/magazine/news/headline/26638
「美術の基礎問題 美術館を出て――パブリックアートについて（2）」artscape、村田真、2023年2月8日取得、https://artscape.jp/artscape/series/0203/murata.html

本書でとりあげた作品リスト

※ 作品タイトル、作家名、設置場所、該当頁を記載する。
※ パブリックアートは敷地内の工事等で時期によっては公開を中止している場合もある。訪れる前にチェックしておくことをおすすめする。

イースト新書Q

Q089

カラー版

パブリックアート入門《にゅうもん》
タダで観《み》られるけど、タダならぬアートの世界《せかい》

浦島茂世《うらしまもよ》

2023年4月30日　初版第1刷発行

発行人　永田和泉
発行所　株式会社イースト・プレス
東京都千代田区神田神保町2-4-7
久月神田ビル　〒101-0051
tel.03-5213-4700　fax.03-5213-4701
https://www.eastpress.co.jp/
ブックデザイン　福田和雄（FUKUDA DESIGN）
印刷所　中央精版印刷株式会社

ISBN978-4-7816-8089-7